猫侦探 破解名画之谜

[俄罗斯] 卡佳·玛图什吉娜／著
陈玉增　邢淑华／译

江苏凤凰科学技术出版社
·南京·

图书在版编目（CIP）数据

猫侦探. 破解名画之谜 / (俄罗斯) 卡佳 · 玛图什吉娜著 ; 陈玉增, 邢淑华译. — 南京 : 江苏凤凰科学技术出版社, 2021.6

ISBN 978-7-5713-1849-9

Ⅰ. ①猫… Ⅱ. ①卡… ②陈… ③邢… Ⅲ. ①儿童故事 - 俄罗斯 - 现代 Ⅳ. ①I512.85

中国版本图书馆CIP数据核字(2021)第058807号

猫侦探 破解名画之谜

著　　者	[俄罗斯]卡佳 · 玛图什吉娜
译　　者	陈玉增　邢淑华
责任编辑	葛　昀
责任校对	仲　敏
责任监制	方　晨
出版发行	江苏凤凰科学技术出版社
出版社地址	南京市湖南路1号A楼，邮编：210009
出版社网址	http://www.pspress.cn
印　　刷	北京博海升彩色印刷有限公司
开　　本	880 mm × 1230 mm　1/32
印　　张	6
字　　数	60 000
版　　次	2021年6月第1版
印　　次	2021年6月第1次印刷
标准书号	ISBN 978-7-5713-1849-9
定　　价	34.80元

猫侦探达芬奇，天才

刺猬阿加西，
猫侦探的朋友

小老鼠球恰，
猫侦探的助手

椋鸟真尼，明星

小老鼠布布沙，
猫侦探的助手

黄鼠史木茨，店主

松鼠布拉卡，
猫侦探的朋友
老鼠贼仔，坏蛋
小·老鼠皮克，
猫侦探的助手
母鸡苦大哈，记者
小·老鼠皮包奇卡，女佣
猫头鹰乌古哈，作家

天才猫侦探达芬奇

请睁大眼睛，案件开始了！

喵——啊——啊！
阴森的树林，
太可怕了！

谁不认识超级猫侦探?

这个天才谁不知晓?

请相信我说的话,

这样的猫咪世上无处找!

请相信我,相信我,

这样的猫咪世上无处找!

目　录

布谷鸟博物馆
沃尔克
兔子
雕像
博物馆

序幕
名画盗窃案

动物城中心广播电台广播：特大新闻！著名的竞猜画终于到我们城里了！已经有传闻说油画上画的是蟒蛇的微笑。大家都知道，画中隐藏着非比寻常的秘密，如果谁能第一个揭开这个秘密，谁就会获得天价财宝。动物城的居

竞猜画

民们快行动起来吧，快来揭开画中隐藏的秘密！

油画在动物城布谷鸟博物馆展出。几分钟后猫头鹰乌古哈将来剪彩，届时第一批观众即可正式进入博物馆。有小道消息称，已经有艺术的忠实崇拜者冲破了封锁线，看起来应该是老鼠们和某一种大型红褐色动物。

所有的电视屏幕瞬间亮起，广播电台开始播报，乌鸦也“呱呱”叫起来，都在直播和传递今年最振奋人心的事件！

动物们成群结队地聚集在博物馆周围，心情激动地**交头接耳**，有的还随身携带着计算器、电脑、快速占卜器、水晶球，还有一只非常有心计的小鸡带着学者老爷爷。

三只小老鼠皮克、布布沙和球恰站在彩带旁边，他们是这个世界上最想猜出画中秘密的参观者，想由此发财致富，这样他们失散很久的叔叔贼仔可能会想起他们而回来。可是老鼠们怎么也想不到这幅画会给他们带来什么样的意外结果。

音乐响起来了，一辆汽车开到了广场上。动物们散开给这台红色汽车让路。车门打开了，老朽愚钝的伯爵小姐猫头鹰乌古哈亮相了。她一个翅膀夹着大钱包，另一个翅膀夹着一把袖珍剪刀。

交头接耳：交头，头靠着头；接耳，嘴凑近耳朵。形容两个人凑近低声交谈。

这时，突然……

砰！啪——啪——砰——砰！布谷鸟博物馆在恐怖的轰隆声中倒塌，灰尘飞旋直冲云霄。整座城市都在颤抖，鸟儿飞向天空，一只鸵鸟拼命地想把头钻进马路的石头空隙里，却因此把脑袋挤成了正方形。

皮克、球恰和布布沙被呛得直咳嗽。

灰尘散去，博物馆已经变成了一片废墟。拥挤成堆的动物群陆续散开，很多动物被轰然巨响吓得魂飞魄散，四处逃命。

“出什么事了？出什么事了？”大家都想问个究竟。

“我看见一只老鼠跑进了博物馆，后面一只红褐色的大猫在追他！”松鼠布拉卡一边在胸前晃动着爪子一边说。

“可怜的小老鼠啊！”小蚊子“嗡嗡”地说道，“这一定是一只吃老鼠的大猫，他抓住了那个可怜虫并且把博物馆炸成了废墟！”

“太恐怖了！”广场上回声雷动。

不知是谁竟号啕大哭起来。

“我想回家！”老鼠球恰哀求道，“若是那只吃老鼠的家伙突然爬出来攻击我们可怎么办呀？”

这时奇迹出现了，从废墟里传出嘶哑的

咳嗽声，同时一只小老鼠费力地爬了出来。准确地说这不是小老鼠，而是一只成年大老鼠，他用爪子捧着完好无损的油画。

“快看哪！老鼠救出了油画！这是一位英雄！”一匹马疯狂地喊叫起来，同时还想扑过去。这时大老鼠突然用刺耳的声音大喊：

“站住，别动！我是**诡计多端**和独一无二的贼仔！我回来就是为了摧毁博物馆！我要干的还不止这些呢！都来看吧，我偷了名画，我要自己去揭开里边的秘密！这还不算完，我还要钻进全城所有的住宅和洞穴，捣毁所有的东西，到处为非作歹！如果谁敢阻挡我，那就等着吧，看我给他什么果子吃！没有一只猫能阻止我，就算他是三头六臂的天才也不顶用！”

“不可能！”球恰惊叹道，“这可是我们的叔叔呀！他怎么变成坏蛋了！”

“这也太离奇、太不靠谱了！”皮克和布布沙一起尖叫，同时尽力往动物群里钻，想消失得无影无踪。

这时贼仔想恶狠狠地跺一下爪子，可是踩空了，一下子跌入巨大的瓦砾堆里。

“哎呀！”贼仔大声尖叫，然后在空中挥舞着他那瘦骨嶙峋的拳头。

诡计多端：形容坏主意很多。

球恰

哈哈哈！
嘿！
哈！
哈！

“抓住他！”马喊道，听得出他不是十分有把握，然后一屁股跌坐在地上。

一切都晚了，贼仔带着价值连城的名作《蟒蛇的微笑》消失了。

“哎，那只红褐色大猫怎么样了？”布拉卡突然想起来了，“看起来大猫不是恶棍，他是为阻止犯罪而追赶那只可怕的老鼠的，可是他现在在哪里呀？”

动物们开始拆除堆积物，可是也未能找到那只大猫。这时，兽医急救车来了。

老鼠皮克、球恰和布布沙极为恐惧，没有比回家更好的办法了。不管怎么说躲在上锁的门里还是相对安全一些的。

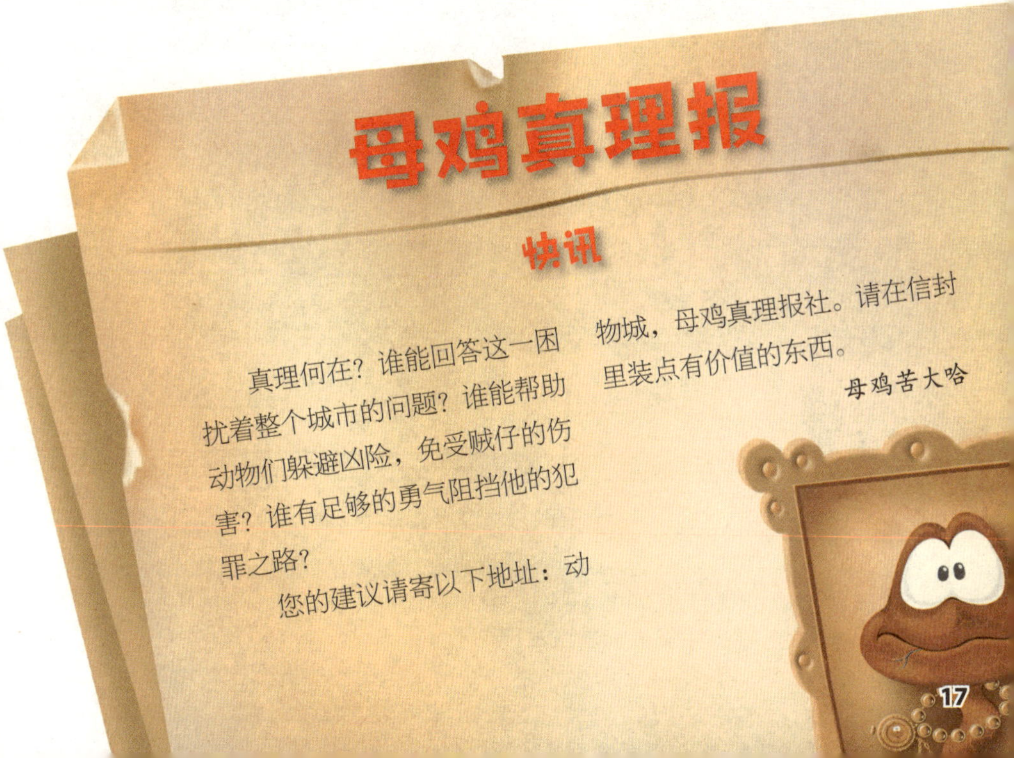
母鸡真理报

快讯

真理何在？谁能回答这一困扰着整个城市的问题？谁能帮助动物们躲避凶险，免受贼仔的伤害？谁有足够的勇气阻挡他的犯罪之路？

您的建议请寄以下地址：动物城，母鸡真理报社。请在信封里装点有价值的东西。

母鸡苦大哈

第一章
最恐怖的一夜

确认！我是野兽！
关紧你们的家门！

城里夜幕降临，动物们都各自回家了，门窗紧闭，灯熄火灭，动物城好像没有任何生命气息。这一切全是为了防备那只凶险狡诈的贼仔，因为他就躲藏在这些房屋之间，并且时刻准备开始新的犯罪行动！

在所有动物中最为**胆战心惊**的莫过于那三只小老鼠：皮克、布布沙和球恰。他们坐在自己那个位于城边的家里，透过不大的窗户观察着窗外的夜色，一个个吓得浑身发抖，观察有没有谁朝他们走过来，有没有随身带着大炮。

当然了，他们的门都锁上了，还额外插上了一根木棍，窗户也都关得严严实实，不会被风吹开。现在谁都进不来了，无论如何都进不来。可是老鼠们还是感觉马上会发生一件永远改变他们生活的事，而这件事也的确没让他们等多久……

突然起风了，柔软的树枝不时拍打着窗玻璃。老鼠们看见一个黑影绝望地挥动着翅膀掠过房顶，他在空中转了一圈又往高空飞去，越飞越高，可是突然一只翅膀垂了下来，黑影开始向下坠落，在空中翻着跟头，急剧地扇动着翅膀，又被一股强风卷着向上冲去，然后就从视线中消失了。

球恰吓得**魂不附体**，用爪子捂住了眼睛。

胆战心惊： 战，发抖。形容十分害怕。

魂不附体： 灵魂离开了身体。形容极端惊恐或在某种事物诱惑下失去常态。

“你想过这是谁吗？”布布沙皱着眉头问。

“不知道，有可能是贼仔学会飞了！”最小的老鼠皮克嘟囔着。

“你说什么呢！既然他是老鼠，怎么能会飞呢？”

“我也不知道是怎么回事，只是这些我都不喜欢！”

球恰又捂着眼睛站了一会儿，发现什么事也没发生，这才放下爪子。这时，突然响起了震耳欲聋的声音，老鼠们的小房子剧烈地震动，一个硕大的动物从天上掉下来，把屋顶砸了个窟窿，落到了房间里。

喵！
喵！
呜拉！

母鸡
苦大哈
的眼
寻找贼仔
奖励1000银币

老鼠们都吓坏了，互相依偎着在角落里挤成一团。

稍微平静一点后，老鼠们看了看周围，发现在破板子堆里躺着一只红褐色的大猫。这只猫闭着双眼，爪子无力地垂向旁边，躺在那里一动也不动。

老鼠们目不转睛地看着，可是那只猫仍然一动也不动。

“这是什么呀？”布布沙小声问道。

“这是一只猫！他是从房顶掉到我们屋里来的！”皮克同样小声回答，同时想藏到布布沙浑圆的脊背后面，可是球恰已经躲在那里了，说什么也不给他让出一点地方。

“我能看出那是一只猫！可是他怎么就掉到我们这里了呢？难道现在狡诈的贼仔凶残到要把猫扔到我们家里来吗？”布布沙嘘了一声。

“是的，贼仔从来不按常理出牌！他什么事都干得出

来。”皮克同意布布沙的说法。

布布沙终于决定铤而走险。他小心翼翼地、悄悄地靠近那只猫，还用鼻子在空气中闻了闻。

“这只猫好像已经玩儿完了。”布布沙根据常识做出了判断，“他身上既没有鱼腥味，也没有老鼠的气味，你想啊，什么样的猫身上没有鱼腥味和老鼠的气味？只有死猫！”

“是呀，贼仔诡计多端，无所不用其极！”皮克壮着胆子说，同时慢慢地靠近那只猫，还用爪子碰了碰他。现在只有球恰还躲在黑暗的角落里瑟瑟发抖。

“要想办法把他从这里拖出去，”布布沙抓着猫的耳朵说，“不能让他总在这里躺着。哎，球恰，快过来帮忙！”

然而，最可怕的事情发生了……

砰——砰！
砰——砰！

第二章
他还要回到我们这里来！

现在我们谁也救不了，
无人保护无依又无靠！
我知道，可怕的野兽要来了，
要发生什么谁能知道！

“喵！呜——呜——呜！”突然，猫咪叫了一声，睁开了眼睛，他那双绿色的眼睛在黑暗中闪闪发光。

“妈呀！”三只老鼠立刻大叫起来，松开猫咪的耳朵，全都趴在了地板上。

猫咪抓了一下脸，又开始揉搓毛茸茸的腮帮子。老鼠们都屏住呼吸一动也不敢动，这时布布沙突然打了个饱嗝。

猫咪转过头，他那双眼睛发出的光更加强烈了。

“你要吃掉我们吗？”布布沙吓蒙了，前言不搭后语，含糊不清地问道。

真希望他没这样问！

不速之客欠了欠身，低头朝布布沙伸出利爪。

布布沙吓愣了。猫咪离他太近了，以至于布布沙都能看清楚他那双亮晶晶的眼睛里布满了血丝。

“难道像我这样的天才之猫会吃像你这样平庸无奇、

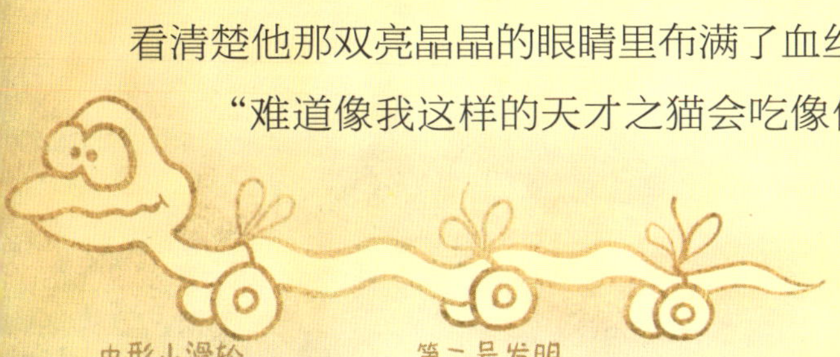

傻里傻气的老鼠吗？”猫咪低声说，然后突然轻轻地抚摸了一下布布沙的耳朵，“我从来都不吃老鼠，我只吃蔬菜。因为我不仅仅是天才猫，而且还是天才的素食者。”猫咪顺便补充了一句。

“什么是素食者？”布布沙不太相信地问。

“不吃肉的就是素食者，也就是不吃老鼠。”猫咪一边解释一边环顾四周，脸上出现了一种困惑不解的表情，“哎呀，我这是在哪里呀？我是怎么到这里的？脑袋被撞得疼死了，什么都记不清了！”

布布沙想说点什么让猫咪一听就害怕，并且永远离开他们的家。可是皮克把一切都搞砸了，他**声嘶力竭**地尖叫起来：“你是贼仔派来的！他让你吃掉我们，然后他好悄悄地回来霸占我们的房子！”

猫咪晃着脑袋说：“没什么贼仔派我来。”

“那你是从哪里来的呢？”球恰结结巴巴地问，同时全身都憋红了。

猫咪挠了挠头顶，往上看了看，透过天花板上的洞看见了一轮明月。

“啊！我是掉下来的！我是从月亮上掉下来的！”猫咪向上举起利爪。

“你是从月亮上掉下来的？”

声嘶力竭：嗓子喊哑，气力用尽。形容竭力呼喊。

我从月亮上掉下来
啊哦！

老鼠们的目光都投向月亮，同时都在想月亮怎么没有一起掉到屋里来呢。

“根据我把房顶砸了个窟窿这一事实就足够说明了，这是千真万确的！”猫咪嘟囔着，然后突然吼叫起来，“我是从月亮上掉下来的！只是我什么都不记得了！撞到你们的房顶，记忆“嗖”的一下就从我脑袋里跳出去了，就像你们的叔叔贼仔从博物馆里跳出去那样！”

“我们的叔叔贼仔是偷博物馆名画的罪犯，你是怎么知道的？他要回到我们家，杀害我们，还要顺便血洗全城！”老鼠们惊恐地说道。

“不记得了！有可能是我坐在月亮上看见的！或者掐指一算猜到的，因为我是天才呀！”猫咪愉快地回答。

“天才？”布布沙疑惑道。

猫咪走到老鼠们跟前，一下子把他们抱起来。一直到现在布布沙都没搞明白，他当时那么害怕，怎么没失去知觉，而且还有足够的勇气大喊：“救命啊！！！”

但是猫咪就像他说的那样并没有吃掉老鼠，而是亲昵地对他们说：“我这些可怜的小老鼠，不用害怕！我向你们保证：我不仅不会吃你们，相反，还要保护你们。至少，月亮上的居民都会这样做！”

“难道你是住在月亮上吗？”老鼠们惊奇地问道。现在他们有点儿放心了，因为猫咪很和气，这使他们对猫咪产生了信任感。

猫咪把新朋友们放到地板上，接着开始娓娓道来：

“噢，月球上的生活非常美好，牛奶流成河，树上结满小香肠！”猫咪兴奋地挥舞着爪子。“主要是我们月球上住的都是**出类拔萃**的天之骄子！天才们的所作所为都是前无古人后无来者的！会画那种倒三角辟邪符的是天才吧？把丑八怪托比牙卡·卡拉比牙给煮了是天才吧？如果胡说八道算是天才，那装神弄鬼更是天才。所有人的名字都是天才的，就拿我来说吧，大家都叫我达芬奇猫。这是一位先贤的大名，他是一位天才画家，画过很多大作，他叫达·芬奇。”

“达芬奇？难道你会画画吗？”球恰赞叹道。

“我无所不能。”猫咪说。

“那住在你们月亮上的还有谁啊？”

“那可多了去了！画家毕·毕加索、库·库因治、米老鼠·毛斯·米·盖朗琪罗、戈比金和福戈比金，音乐家巴·巴赫、帕盖·尼尼、斯特劳斯·史特劳斯，作家莎士比亚、苏文金、叶塞宁、乌斯宾斯基、库·库宁、赫沃斯捷尔。当然了，还有马图什吉娜和考考维塔娅……我们那里天才太多了，我一时不可能都想起来！大家都在腾云驾雾，也就是在天空中翱翔。”

“既然月亮上那么好，那你干吗离开它落到我们这里

出类拔萃：超出同类之上，多指人的品德才能。

从月球上看太阳系图
老鼠们的家
普通星星
穆尔曼斯克
地球
波的利亚海
海王星
巴黎
宇宙
黑海
火星
阿尔及尔
珠穆朗玛峰
金星
柏林

土星
飞锅
伦敦
阿尔卑斯山
水星
白海
天王星
死海
中心
木星
塔什干
彗星
北京
咆哮的金刚河水
纽约
太阳
火箭

来呀？”球恰问。

“没关系，反正我还是要回去的。”猫咪眯着眼睛说。

“什么时候？”

“什么时候？什么时候需要就什么时候回去呗！不过现在我们需要修补房顶并祝贺我来到地球，来到了最好的老鼠之家！把灯打开，放一曲愉快的音乐，我们一起跳舞吧！”

老鼠们互相交换了一下眼神。

“我们不可以跳舞！”布布沙压低声音反对道，“可怕的贼仔随时都可能进来，那时一切都完蛋了！给你看看！”他“吱吱”叫着，把一张报纸展开递给猫咪。

现在说说贼仔

作恶成性的流氓！

他厚颜无耻地偷窃博物馆中的名画
——《蟒蛇的微笑》。

这只凶险的老鼠使半个城市陷入恐惧之中，
另一半城的动物想要抓住他并获得奖赏
——一袋香肠及令人头晕目眩的崇高敬意。

他的特征：

1. 尾巴上打着个结。
2. 鼻子周围有胡子。

大家开始寻找吧！！！

猫咪开始读报纸：“嗯，我好像在哪里见过这只老鼠！只是这张图一点儿都不像他。”猫咪若有所思地嘟囔着，“我可能在月亮上看见过他，你们为什么这么害怕他呀？”

“什么为什么呀？贼仔是我们的叔叔。他每干一次坏事后都会潜藏起来，就是会回到我们的家里，到那时我们就该完蛋了！”

这时窗外出现了个忽隐忽现的影子，还有大声咳嗽的声音。

猫咪安慰老鼠们，高高地举起爪子郑重地说：“小老鼠们，不用害怕！我保证让你们永远不再恐惧！贼仔对我来说只是个无名小辈！我将是你们的保护神和救世主——超级猫侦探！好，我现在宣布‘第一号’大案，我们要抓获你们的叔叔，我以我的天才脑袋发誓，我要教会他做个好人。”

“太好了！”老鼠们欢呼起来，“天才！”

“可是，如果你是天才，那么我们是什么呀？”最小的老鼠皮克问。

“既然你能想出这样刁钻的问题，那你就是神鼠呗！”猫侦探对这帮老鼠说，“你们大家都是神鼠！”

“乌拉！我们都是神鼠！”老鼠们一齐喊叫着，蹦着跳着，虽然自己也不清楚这个词具体是什么意思。

猫侦探现在马上开始办理“第一号案件”——抓捕凶

恶的贼仔。

“侦查开始之前我们需要准备贼仔的肖像。”猫侦探开始不停地来回踱步——从这边走到那边，“喂，老鼠们，拿铅笔和纸来，现在猫侦探达芬奇侦查学校开学，马上开始的是真正的侦探工作的第一课——每一个超级猫、超级老鼠和其他的超级动物都必须掌握的绘制肖像技术。”

老鼠们都争先恐后竭尽全力地证明自己是真正的超级老鼠，开始专心致志地画起来。

几分钟后，猫侦探画好了一幅贼仔的肖像，老鼠们看了，都吓得躲到角落里去了。

猫侦探达芬奇的家庭作业

画贼仔肖像

选择脸

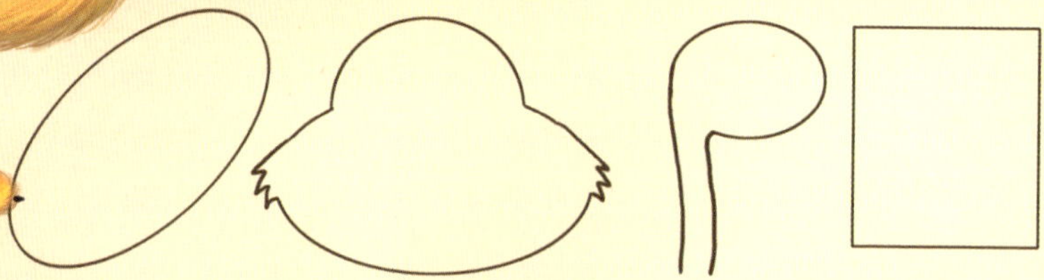

老鼠形　猫形　鸟形　正方形

选择眼睛

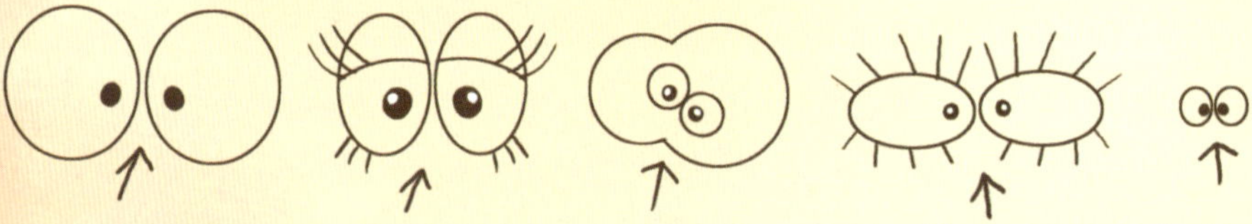

大眼睛　长睫毛眼睛　漂亮眼睛　甲壳虫形眼睛　小眼睛

选择鼻子

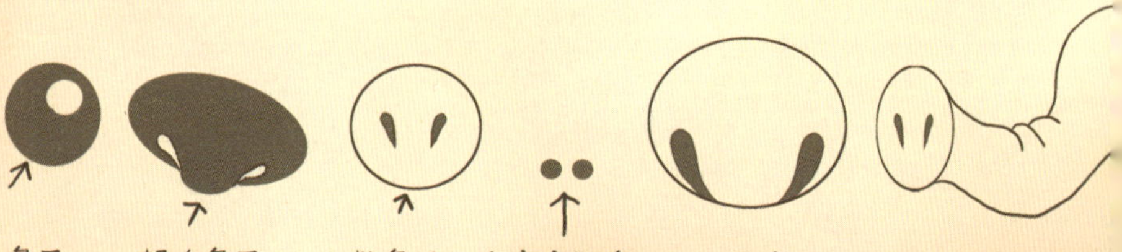

鼻子　超大鼻子　猪鼻子　小窟窿眼鼻子　土豆鼻子　大象鼻子

选择耳朵

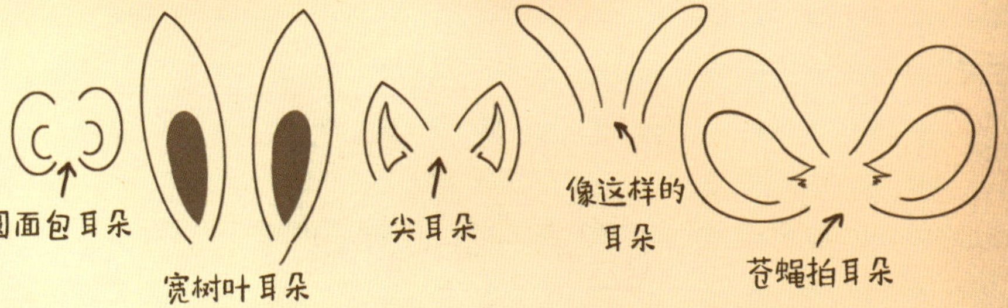

选择嘴

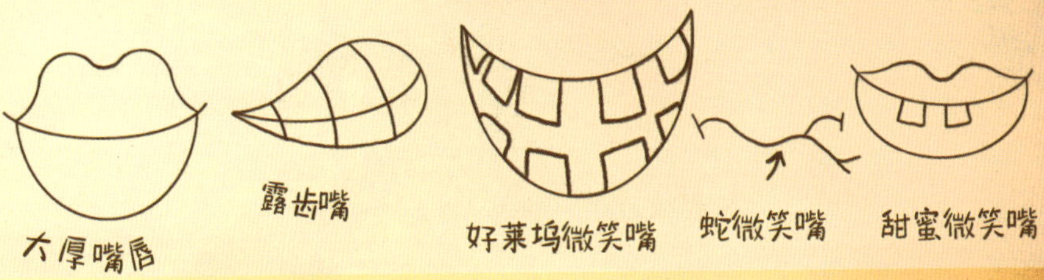

这是猫侦探
达芬奇画的

你自己
画一张吧

猫侦探满意地笑了：“像贼仔吧？这就意味着我们很快就能找到你们的叔叔，你们的生活就要恢复正常了。”

可信度很高的画像！！！

的确，由于猫侦探达芬奇的出现，凶恶的犯罪分子贼仔似乎被天才震住，从而**销声匿迹**了。城里的某些居民甚至以为贼仔猜到了画中的秘密，得到了所有的财宝后逃之夭夭了，因此他们丧失了警惕性。假如他们能猜到贼仔正在准备干什么就好了！

不知道这消息通过什么途径传到了地方报社，这不，一篇文章大清早就见诸报纸了。

销声匿迹：不再公开讲话，不再出头露面，形容隐藏起来或不公开出现。

母鸡真理报

特大新闻！

市里有成群的猫像流星雨一般落下来，其中有的猫还厚颜无耻地称自己为超级猫达芬奇或其他天才的名字！公道何在？我们差在哪里？

老鼠贼仔离开了城市，但是肯定还会回来！

惊天新闻

买了我们最新出版的报纸，您就有了免费包鱼的包装纸！把鱼往报纸里一卷就行了！

和我们一起思考！

替我们思考！

如果不打开蛋，
谁知道里面装着什么。
蛋里正在孵化年轻的精英！

猫侦探达芬奇的家庭作业

我们画行星

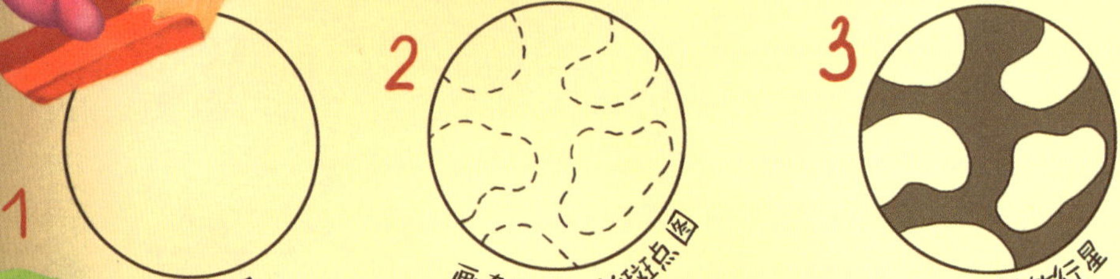

1 先画圆圈　2 画奇形怪状的斑点图　3 涂饰行星

我们画太阳

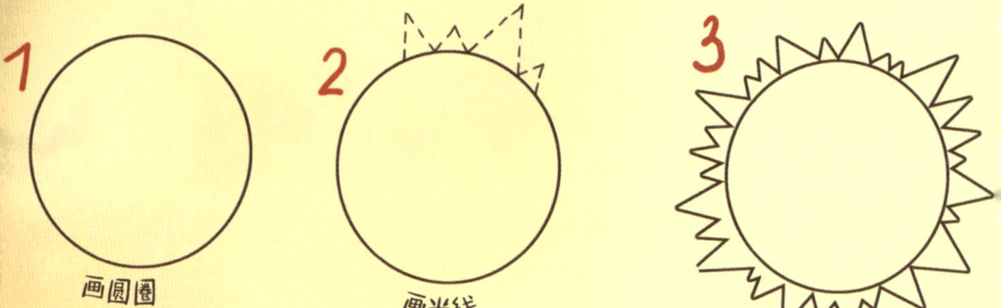

1 画圆圈　2 画光线　3 画一圈光线

我们画月亮

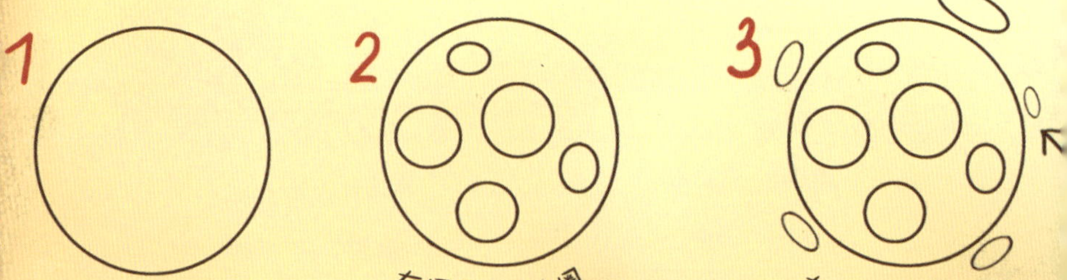

1 画圆圈　2 在圆圈里画小圈　3 在圆圈周围画小圈

我们画土星

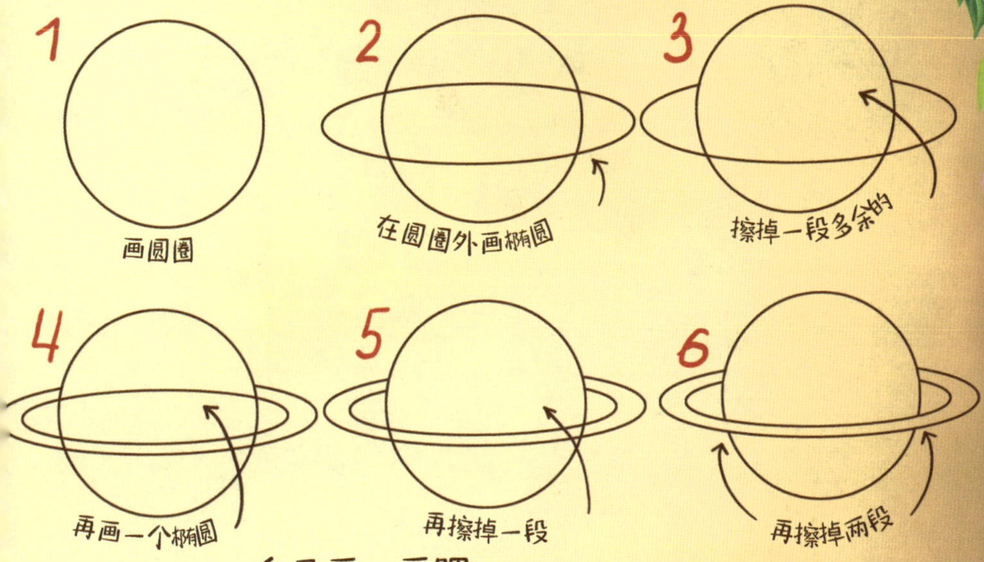

自己画一画吧

吻耳朵，
你的乌古哈！

第三章
生日当天的犯罪案件

第二天早晨，在城市的另一端还发生了一件事。

动物城最尊贵的居民——伯爵小姐猫头鹰乌古哈决定大操大办庆祝自己的生日。

她邀请了三位客人光临自己的树宅，这对她而言已经是够慷慨的了，而且她还设晚宴招待他们。乌古哈亲自给非常有名的三位老相识写了请柬，然后就伫立窗前，等待各位的到来。

请柬

聪明的刺猬阿加西：

你好！

敬请光临寒舍参加我的生日派对。贺礼随意，来者不拒，也请提前少量进食，保证你届时全程愉快——那位鼻音很重的歌唱家椋鸟真尼也将出席，还有那位傻头傻脑的松鼠布拉卡也参加。

吻你的刺。

你的老相识乌古哈

请柬

我最亲爱的女朋友松鼠布拉卡：

邀请你参加我的生日派对，非常高兴地期待你带来好礼物，否则我会非常生气。

尽快过来，笨蛋阿加西和无才真尼都会让你眉开眼笑。

你的朋友乌古哈

请柬

大天才椋鸟真尼：

你好！

等待你携重礼惠临敝舍参加我的生日派对。保证你庆间喜出望外。我还邀请了结巴的松鼠献唱，笨拙的刺猬跳舞。滑稽吧！你就等着开怀大笑吧！

你的忐忑不安的崇拜者乌古哈

乌古哈的女佣——小老鼠皮包奇卡飞快地跑出去送请柬。

说实话，阿加西、布拉卡和真尼不是很喜欢乌古哈，但是他们很重视和她的相识，接到邀请也是十分高兴，带上礼物就急忙赴会去了。

如果他们能够想象出这次聚会将怎样结束，那说什么也不会到乌古哈那里去的，尽管有这么华美的请柬。

没过多长时间，客人们就在豪华的餐桌旁就座了。除了椋鸟、刺猬和松鼠，准备对生日派对做现场直播的母鸡苦大哈、黄鼠史木茨和一些无名的麻雀也来了。实际上麻雀立刻就被用扫帚轰走了，母鸡是不请自来的。生日派对办得非常成功。乌古哈收到了一小推车的礼物，客人们讲述了各种以往的笑话，还跳了舞，做了游戏。

只有可怜的女佣皮包奇卡不怎么开心。她尽力讨好主人，想让她满意，不停地在客人之间往来穿梭，分送食品。

乌古哈**兴致勃勃**，她决定给客人们看看自己最珍贵的宝物，于是从保险柜里拿出精美的首饰匣。匣盖上镶满贵重的宝石，周边是纯金镂花图案。客人们都万分惊叹，不禁屏住了呼吸。

“这个首饰匣是我的曾祖母，杰出的伯爵小姐乌赫·乌赫·乌哈留给我的遗产，稀世珍宝都藏在里面。”

“那都是什么东西呀？”客人们惊奇地交头接耳。

兴致勃勃：勃勃，旺盛的样子。形容兴头很足。

“不过这是个秘密，我从未打开给世上任何人看过！我想说的是，这里面保存的都是稀世珍宝，没人看见过。”乌古哈傲慢地说，“说实话，连我自己也没看过。好了，不说了，没时间了。”

史木茨不知道为什么把自己的怀表伸给了乌古哈，可是被乌古哈挥了下爪子推开了。

她把首饰匣放在窗台上让客人们大开眼界，看个够。

然后是品茶，分享一个写着乌古哈名字的生日大蛋糕。乌古哈吹灭了蛋糕上的蜡烛，阿加西往上面喷洒奶油，大家又一起唱了很长时间的歌。

生日派对接近尾声时，皮包奇卡快累垮了。她本来要给阿加西倒一杯奶，结果倒了一桶醋；她在平底锅里放了一块肥皂，当成一碟蘑菇给布拉卡端来了。

乌古哈用翅膀抓着皮包奇卡的头责骂她，但是皮包奇卡只是更加伤心，活儿干得越来越慢了。

仪式结束，最后一位客人也走了，乌古哈轻松地

漂亮的蝴蝶结

皮包奇卡准备食物

飞短流长，飞短流长，
首饰箱被盗。
乌古哈再无耳环戴，
手指再无戒指闪光芒。

歌手椋鸟

做了一次深呼吸并向窗台走去。

突然，她像被蜂蜇了似的跳起来，窗台上空空如也，什么都没有了！

“哎呀！”乌古哈发出刺耳的尖叫，“首饰匣不见了！”

“什么，首……首饰匣？”皮包奇卡扔下手中的餐具，含糊不清地问。

乌古哈转过身，头上的羽毛都竖起来了。

“你还敢问我？这个家里是谁负责收拾房间？这不是你的责任吗？”

“我，我的……”皮包奇卡警惕地眨巴眨巴眼睛。

“不是你应该看管我那贵重的首饰匣吗？快去，找不到首饰匣就别回来！哪怕是挖地三尺也得给我挖出来！如果到晚上还找不到首饰匣，我就炒你鱿鱼，把你赶出去，还会向全市宣布你是罪犯！小偷！你知道这意味着什么吗？”

但是皮包奇卡没等听完就眼泪汪汪地从家里跑出去了。

乌古哈一屁股坐在椅子上，陷入了沉思。到底是谁偷了首饰匣呢？朋友中谁表面称兄道弟，可暗地里却干**背信弃义**的勾当呢？这是很难说清楚的。

背信弃义：违背诺言，不讲道义。

画猫侦探达芬奇的漫画

我们画可笑的小嘴脸

1

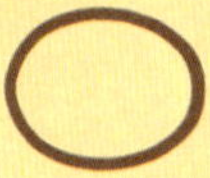

画鼻子

2

眼睛画成两个小椭圆

3

画瞳孔

4 嘴这样画

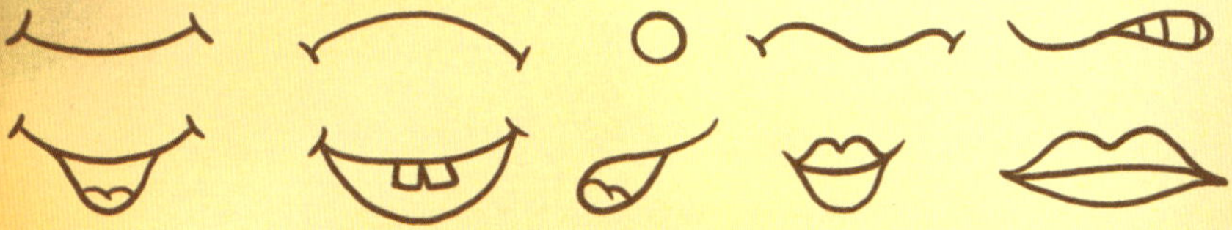

5 眉毛或者朝上或者朝下

6 小脸可画成各种形状

心形

五角星形

水滴形

花朵形

自己画一下吧！

嗡嗡嗡，我转圈！
我是天才！
嗡嗡嗡，
到处追星！
自制的贼仔活动风向标
小心，危险物件！

第四章
为抓贼仔设圈套

虽然不知道怎么抓你，
但是一定能够抓到你！

（信心十足的老鼠们）

老鼠们有生以来从来没享受过这样的幸福，这是极为美好的一天！猫侦探达芬奇修理了房顶，粉刷了墙壁，在窗户底下种上了花，现在房子**焕然一新**。猫侦探顺便还搞了几项发明：在花坛中间立了一个自动喷水壶，不停地旋转着往花上喷水；超级旋转木马，不但能转圈儿，还能化圆为方；在房顶上安了一个风向标，造型是一只猫向前伸着爪子。“借助这个风向标我们就可以准确地知道风往哪边吹！”猫侦探解释道。

焕然一新：改变旧面貌，出现崭新的气象。

老鼠们像跟屁虫一样跟在猫侦探的后面跑，并且不停地发出惊叹：“令人震惊！天才！令人陶醉！”

猫侦探特别喜欢这些新朋友，于是在房顶上大声喊道：“哎，老鼠们！我猫侦探达芬奇从今天开始将保护和关心本城里的每一只老鼠！当然了，贼仔除外！”

“乌拉！”皮克、布布沙和球恰大声尖叫，并且欣喜若狂地在草地上跳起舞来。他们曾经非常害怕这个神奇的猫侦探会离开他们，现在则无法掩饰高兴的心情。

猫侦探非常敏捷地从房顶上跳下来，拥抱老鼠们。

“你能保护我们免遭凶恶贼仔的伤害吗？”球恰揪着自己的小裙子问道。

“必须的！我是天才，我已经制订了一个周密的计划。我们逮住贼仔后，你们就没什么可怕的了。我根据气味判断他就在我们身边！你们自己看看，风向标指示他会从南边来。贼仔说过他肯定会回来，那他不回家还能去哪里呢？这样我们就能逮着他了！”

“不可能！”老鼠们开始哆嗦，“我们怎么能做得到啊？”

猫侦探环视了一下四周，紧接着又往大圆筒那边看了看，确定没人偷听后小声说：“非常简单！我们离开家，

让房门开着。贼仔确信我们都走了就一定会回来，然后我们把门一关，他就成了**瓮中之鳖**了！接下来我们夺回那幅画，还给动物们，再教育贼仔重新做一只好老鼠。”

“如果他反抗怎么办呀？”皮克问。

“反抗也没用！”猫侦探盛气凌人地说，“受点儿罪，过一阵就习惯了！”

“若是他突然跳窗逃跑，我们就抓不住他了。”球恰充满疑虑地说。

猫侦探停顿片刻，然后调皮地微笑着说：

“我们会迅速抓到他！因为是采用我的超级发明——捕捉贼仔神器。”

“那是个什么东西呀？”

“看吧，是这样！”

猫侦探拾起一根树枝迅速地在小路上画了个草图，还一边解释自己潦草难辨的字。老鼠们都不出声了，想尽量分辨清楚画的是什么东西。

“我们在门上挂个筐，贼仔一进家门筐就掉到

瓮中之鳖：比喻已在掌握之中，逃跑不了的东西。

他身上，这样你们的叔叔就落入捕鼠器了。”

“你是我见过的最有才的猫！”布布沙赞叹道。

“啊哈！”猫侦探骄傲地说，“你见过很多猫吗？”

“很多！不止你一个。”

“嗯，这就够了。好了，开始工作吧！首先得去找筐。”

老鼠们立刻跑去执行任务，大家都争先恐后地去找筐。一会儿工夫，猫侦探面前就堆满了大筐、小筐，甚至还有花篮，堆得像小山一样！这里面还有炖锅、平底煎锅、水桶，甚至还有一顶满是大窟窿小眼儿的破帽子。

猫侦探选了一个最大的筐，把提手扯下去。

很快一切准备就绪。老鼠们都到街上去了，家里的门虚掩着，这样可以从里面支撑住猫侦探放上去的筐。

这样，贼仔回家一打开门，筐肯定会落在他身上。

“好了，”猫侦探确信从外边看不见贼仔捕捉器，“现在我们要佯装成外出的样子。”

“好的！”老鼠们同意。

猫侦探开始用力跺脚，老鼠们也乱蹦乱跳。球恰不知道为什么假装痛苦地大哭大叫起来。

猫侦探把爪子弯成小船状，傻里傻气地大喊大叫：

“我们要出门啦！我们到晚上才回来！我们要去离家很远的地方！”

“我们不会坐在灌木丛里偷看的！”皮克喊道。

布布沙立刻打他后脑勺："想好了再说，要这么说：'哎，我们才不会说我们要出去，甚至也不会想贼仔的事！'这样他回家的时候猜想不到我们马上就会回来。"

球恰不哭了，突然哈哈大笑起来，好像她的叔叔不是贼仔，而是一匹马。然后又感到非常不好意思，用爪子蒙上了自己的小脸。

又跺了一会儿脚后跟，朋友们愉快地跑到一座孤山旁边，继续向周围大声宣布出门的消息。

有时猫狗很友善，
尽管此事不多见。
若说猫鼠交朋友，
这是胡说带扯淡。

坏蛋很快就知晓，
鼠辈本是同根苗，
休看他诡计多端，
阴谋败露在今天。

漆黑的夜晚，恐怖的夜晚，
动物们可别去林中吃宵夜。
夜晚漆黑，千真万确，
星星都可能从天掉落！

一步一咯噔，一步一啪嗒，
走遍行星到天涯，
只是贼仔不知道，
根本没有他的家。

夜里不是散步的时候，
就是傻瓜也别动念头！
白羊座，双鱼座，巨蟹座，
从天而降砸得你头破又血流。

一步一咯噔，一步一啪嗒，
走遍行星到天涯，
只是贼仔不知道，
根本没有他的家。

等拐个弯看不见家之后，猫侦探一挥爪子，大家就都钻进灌木丛里去了。

“现在我们就在这里埋伏起来。我不知道为什么总感觉贼仔就在我们附近！”猫侦探悄悄地说。

老鼠们点头表示同意。透过树枝的间隙可以清楚地看见那条洒满了明媚夏日阳光的道路。猫侦探为了避免自己红褐色的皮毛在阳光下闪动，便躲在倒地的树干后面。老鼠们都在附近的角落里藏起来，伺机行动。

这时突然响起了脚步声，有谁正顺着附近的道路狂奔，路上掀起滚滚烟尘。

这事发生得太快了，以至于他们谁也没看见。猫侦探抬起头。

“这是贼仔！”皮克尖叫道，“我听得出他的脚步声，他是正在往我们家里跑呢！”

“那我们就追吧！”猫侦探想都没想就喊起来，同时跳出灌木丛。

“太可惜了，刚刚隐蔽好，马上又得往回跑。”球恰失望地说。

“这是我们的战术。”布布沙解释说。

老鼠们一刻也没耽误，紧跟着猫侦探往前冲，时刻准备迎难而上。

啊
我们都出去散步了，贼仔你来吧！
啊——啊——啊！！

第五章
猫侦探达芬奇首战告捷

我揭穿所有秘密，
心想就一定事成！

跑回家后，猫侦探达芬奇和老鼠们看见房门大敞。从房间里传出可怕的“轰隆”声。

“贼仔发疯了，砸坏了家具！”布布沙惊恐地喊道。

猫侦探冲进屋里面。

“站住！我要抓住你！”震耳欲聋的喊叫声响起，墙壁都在颤抖了。

老鼠们都伫立在门口。

“要发生什么事啊？要发生什么事啊？”球恰抓着自己的脑袋说。她爪子哆哆嗦嗦，两眼流出了泪水。

“那件事就要发生了！”皮克小声说，“我们的叔叔是真正的野兽，他要拔掉猫侦探的胡子！”

“真的吗！这不可能！”布布沙大胆地说，“冲啊！我们不能让猫侦探受欺辱！”

老鼠们冲进房间，看见猫侦探坐在底儿朝上的大筐上，被捉的贼仔在下面大声哭叫。周围是翻倒的椅子，可能是贼仔想从捕捉器里钻出来，把椅子都撞翻了。

“我等你们都等累了，差点儿要睡着了！”猫侦探打着哈欠说，“来，都过来吧，我把你们的叔叔抓住了！”

“那你突然把他放了的话，他还不把我们撕碎呀？”皮克吓坏了。

“这是说的什么傻话！能战胜月亮居民的老鼠还没出生呢！”猫侦探从大筐上跳起来。

“等一下！”布布沙喊，同时抓起一个小平底煎锅挥舞起来，“现在打开吧！”

一片寂静，甚至能听到皮克挠耳朵的声音。

猫侦探猛地掀起大筐，可是筐底下什么也没有。

“原来是这样！贼仔人间蒸发了！”皮克惊讶地又开始挠鼻子。

猫侦探晃荡晃荡大筐，从里面掉下来一只小老鼠，她身穿一件白色**布拉吉**，还扎着一个小围裙。这只小老鼠身上散发着强烈的大葱和洗衣粉味。她身旁还扔着一个红色的小包包。小老鼠环视了一下周围的动物后便痛哭起来。

“喂，这哪是什么叔叔啊，这是一位阿姨呀！”猫侦探感到很诧异，“你到这里干什么来了？贼仔到哪里去了？”

“贼仔？什么贼仔？我不知道什么贼仔！”小老鼠比刚才哭得声音更大了，“我是可怜的女佣皮包奇卡！你们

布拉吉：柔软绵长的连衣裙。

用筐把我给扣住了！我在你们这里做什么坏事了？谁都不爱我！可我是来向你们求助的！我一听说你们这里有一位天才猫侦探就立刻跑来了。”

她从围裙口袋里掏出一块手绢擦着鼻涕。

猫侦探非常失望，他没抓到贼仔，也没什么好回答的。

布布沙把小煎锅砸到了自己爪子上，疼得他一下子从原地跳起来。

“别哭啦，小老鼠！我们没想到是你，我们是在等危险的罪犯贼仔。”球恰说。

“危险的罪犯？”皮包奇卡吓得抓住自己的尾巴，可是蝴蝶结被抓皱了，她又开始抽泣。

“当然，你们这样说起来很简单，而实际上谁也不喜欢无依无靠的小皮包奇卡！”

球恰走到皮包奇卡跟前，温柔地抚摸她的头：“你不用害怕，我们这里有猫侦探达芬奇，他保护所有的老鼠！”

“所有的……所有的……所有的？”皮包奇卡怀疑地喊道。

“对呀！”猫侦探肯定地说，“要相信我的话。”他把皮包奇卡从地上抓起来，小心翼翼地把她放到唯一一个没翻倒的椅子上坐下。“现在我们首先应该抓住贼仔，这是头等大事，也就是说我们要先找到他。我感觉他就在我们身边，我对老鼠有特殊的嗅觉。”猫侦探往上看了看，发现房项的风向标不见了。

“哎呀！”皮包奇卡喊起来，还发出奇怪的哼哼声。“我觉得我好像坐在什么东西上面了！”

“你坐在椅子上。”布布沙告诉她。

“不是！”皮包奇卡又哼哼唧唧。

“我是坐在椅子上，但是这下面还有个什么东西呀！”

皮包奇卡小心翼翼地抬起身，大家都盯着看一个地方，刚刚她那个扎着红蝴蝶结的小尾巴还拖在那里。

“这是一封信！”皮克喊道，“你用尾巴拖着一封信干什么？”

“不是，不是的！”皮包奇卡晃着脑袋说，“这不是我的信呀。可能因为我太激动了，没看见这封信就一屁股坐在上面了！”

猫侦探拿起那封信便不出声了。原来这封信是写给他的！

信封上写着：猫侦探达芬奇（收）。

老鼠们都惊奇地蹦起来：“这是谁写的呀？”

信里面隐藏着真正的恐吓：

猫侦探达芬奇天才的猜想

“哎呀，太可怕了！”老鼠们抓着自己的尾巴尖叫着。

“胡说八道，我们在他还没得逞之前就会把他逮住。”猫侦探安慰他们说。

“太有意思了！”皮包奇卡尖声尖气地说，“说不定我还能助一臂之力呢！”

“不过贼仔是怎么留下这封信的呢？”布布沙打断他们说，“要知道我们走的时候并没有任何信呀，我保证我记得很清楚。”

“看来贼仔是在皮包奇卡到来之前就来过这里！这个诡计多端的滑头，猜到有捕捉器就改从窗户爬进来了。”猫侦探明白了。“可是他现在又在哪里呢？”

“他可能藏到院子那个桶里了，我记得那里有过什么动静！”皮包奇卡拿起小包紧贴在自己身上。

“那是从水桶边上往外漏水的声音。”球恰反对说。

“在这个贼仔身上什么事都可能发生，”布布沙失望地嘟囔，“可是老鼠在水里是不能呼吸的呀！”

“在水里可以借助麦管呼吸。”猫侦探说，“如果水桶里有麦管，那贼仔就是藏在那里了！”

“是这样吗？”皮包奇卡眉毛都挑上去了，“我从来都没想到过。”

“喂，老鼠们，拿着贼仔捕捉器，跑步去把贼仔从水桶里捞出来！”

贼仔
在这里
住过！
不出声地飞！
快点！！！

猫侦探达芬奇的队伍将水桶团团围住。

猫侦探猜对了，水面上立着一根很粗的麦管，周围气泡翻滚。

“准备好扣筐，我转动水桶，动作要快！”猫侦探摇着尾巴开始行动！

球恰为了以防万一，把大筐拉到自己面前，还眯缝着眼睛。实际她从头到脚都湿透了。

从水桶里冒出来一个怪物——一只奇怪的鸟，她头上戴着潜水面具，脚上蹬着脚蹼。取下面具后露出了真面目，原来是一只普通的母鸡，只是她全身都湿漉漉的，成了一只真正的落汤鸡。

她不好意思地拍打着翅膀，“咕咕”地叫起来：“为什么非法搜身？你们没有权力！”

“你是谁呀？”猫侦探喊道，“为什么藏在我们的水桶里？”

“我是报社的记者苦大哈，为自己的文章收集素材，这跟你们没关系！”

“在水里收集呀？收集很多了吧？”猫侦探怀疑地问。

“很多！”苦大哈哽咽地小声说。突然她的记者包开始抖动，飞出一张当天出版的报纸。

“你写文章怎么像母鸡下蛋似的！”布布沙惊讶地说。

“我不是母鸡，我是记者！”苦大哈骄傲地宣布，突然拿出照相机给猫侦探拍了个正面和侧面照。

猫侦探凶巴巴地抢走了报纸。

母鸡真理报

惊天大案

我们的记者调查事件越准确，报纸的观点就越客观。记者母鸡苦大哈现在已经不是一位普通的记者，而是声名远扬的大记者，因为她挖出了一个大案的真相。

在我们城里出了一只大言不惭的猫，称自己是达芬奇。大概，他想宣布自己对名画《蟒蛇的微笑》的拥有权，从而把该画据为己有。真是令人义愤填膺！

有读者给编辑部写信，谴责这种行为。

这些信由一位长期读者执笔，他谦虚地署名“老鼠 Z”。

据我们报社消息称，杜尔地区也出现两位名画觊觎者——鼹鼠达芬奇和浣熊达芬奇。这两只动物都长着红褐色皮毛和红鼻子。

请阅读我们的报纸，或者直接汇款。
苦大哈，大记者，事件现场报道。
和我们一起工作！帮助我们工作！

母鸡真理报

猫侦探正在读报纸的时候母鸡跑了，跑就对了，因为猫侦探非常生气：“一句真话也没有！我没想把名画据为己有！从来也没有红褐色的鼹鼠和红褐色的浣熊。鸡脑子能写出什么好东西？！”

痛苦的、浑身湿透的老鼠们都闷闷不乐地听着猫侦探发脾气。可能是由于冷，或者由于生气，球恰开始发抖。难道在这样阳光普照的大白天还能冻着吗？

猫侦探长出了一口气，举起爪子说：“既然我们现在没能抓住贼仔，我建议我们开始‘第二号案件’——帮助皮包奇卡。”

当他们回到房间时，皮包奇卡满意地坐在桌子旁，正在咀嚼小木盆里最后一块蜜糖饼。看见猫侦探以后她一边吧嗒着嘴，一边不停地说：“喂，抓到贼仔了吗？没抓到吧？那就听我跟你诉诉苦吧！我给猫头鹰当佣人，我非常穷，既没有钱，也没有脑子，可这是活命的唯一办法呀。可是，猫头鹰刚刚说给我发点儿工钱就出事了！”

皮包奇卡用爪子拼命地敲脑袋，好像能把不好的想法都敲出来似的。

“什么，发生了什么事？”

“猫头鹰把我从家里扫地出门了！”

“这太悲惨了！”

“还冤枉我，说我盗窃！要知道，在这个大千世界里没有比皮包奇卡更诚实的老鼠了！现在整座城市的动物都以为是我偷了猫头鹰的首饰匣。”

这时，皮包奇卡那双诚实的眼睛已经哭得通红，眼皮眨巴得“噼啪”直响。

猫侦探的心收紧了，大家都开始可怜这个小女佣。

“嘿，这个可恶的猫头鹰！你这只不幸的小老鼠！好在你到我们这里来了，猫侦探会设法帮助你。”布布沙说。

“对，”猫侦探附和说，“我们要找到猫头鹰的首饰匣，恢复皮包奇卡的名誉！”

“真的吗？找到首饰匣，恢复我的名誉？”皮包奇卡笑了，“不是说大话吧？你们怎么能找到已经丢失的东西呢？你们也不是密探呀！”

“如果需要，我可以是任何角色。”猫侦探舒展了一下肩膀，“可以是密探、侦探，还可以是侦查员，老鼠们将是我的勇敢助手。我听说城里有警犬，我们这里将有警鼠！”

“是的，是的！”大家都喊起来。

“那我是什么角色呀？”皮包奇卡饶有兴趣地问道。

“你是我们拯救的第一位求助者！”

老朽
愚钝的
伯爵小姐
猫头鹰
皮包奇卡
伯爵小姐
乌古哈(收)

格瓦斯
面粉

第六章
侦查

谁都不知道的事，
超级猫侦探他知晓！
犯罪分子无处逃，
大家全都得救了。

乌古哈在窗前观察情况，看看皮包奇卡有没有回来，是不是她已经找到了小偷，把首饰匣拿回家了。

等了几个小时后，一群动物出现在黄土小路上，皮包奇卡**一马当先**，发出刺耳的尖叫声，爪子指向树宅的方向。

乌古哈没多看一眼就“扑通”一声坐回到沙发里，把手绢放到头上，嘴上捂了一块湿布，显出一副痛苦的样子。然后猛地抖了一下，把手绢和湿布互换了位置，又发呆不动了。

这时门铃响了，皮包奇卡站在门口，身边还围了好几只老鼠。

乌古哈睁开一只眼睛，沉重地喘了一口气，说：“怎么回事啊，皮包奇卡，自己回来就算了，还带来你的一帮

一马当先：形容领先，积极带头。

七大姑八大姨呀？我不会供任何人白吃白喝的！我问你，我的首饰匣呢？”

皮包奇卡慌张地摇晃脑袋，由于惊慌耳朵都晃得“啪啪”直响：“这……这不是我的亲戚！难道我们长得像吗？”

其他老鼠也不喜欢乌古哈的猜测。

“这还用说吗！”皮克“扑哧”一笑，“我一点儿也不像满脸泪痕、鼻子通红的皮包奇卡。”

“你怎么挖苦人呢？我问我的首饰匣在哪里呢！”乌古哈大喊，湿布“啪”的一声掉在地上，“没看见我不舒服吗？”

这时他出现了！猫侦探达芬奇站在门槛上，老鼠们一起尖叫起来。

“这又是谁呀？”乌古哈瞪着大眼睛问。

“不必惊慌！”猫侦探说，“我是天才猫侦探达芬奇，现在着手处理这个案子，就是说，用不了一天，你的首饰匣就会物归原主，回到你的翅膀下，而皮包奇卡也将恢复诚实老鼠的名誉！”

皮包奇卡打了个饱嗝，球恰鼓掌，而皮克则高翘着鼻子，好像这些话都是他自己说的一样。

乌古哈想说点什么，可是话到嘴边又憋回去了。

猫侦探达芬奇在房间里走了一会儿，然后坐在桌旁，跷着二郎爪。

“顺便说一下，我保护所有老鼠已经有一段时间了！”

“我可不是什么老鼠！我是猫头鹰！”乌古哈气愤地说，“这一切都是皮包奇卡的错！如果你觉得你必须保护老鼠，那你就有责任找到我的首饰匣。否则我就要想办法收拾皮包奇卡。至于什么办法，暂时我还没想好！”

皮包奇卡大声哼叫起来。

“这你就太过分了！”猫侦探用爪子对乌古哈做了一个恐吓的手势，“我保证要保护老鼠，同时开始调查案件，也是让他们在我的指挥下做警鼠。好了，首先需要讨论我们的酬金。”

“那你帮助老鼠都是免费的吗？”乌古哈很惊讶。

“他住在我们那里呀！”皮克骄傲地说。

“那好吧，”乌古哈很快就同意了，“我付你们酬金。看见了吧，我给你们那个漂亮的盒子，那是黄鼠史木茨送给我的。那里装满了好东西，够你和你的老鼠们享用了。”

猫侦探满意地揉搓着爪子：“好吧，我们开始侦查！这样，老鼠们，记录下猫头鹰的证词！你，乌古哈，说说是在什么情况下丢失的首饰匣，你认为可能是谁偷走了？”

“情况是这样，当天我过生日……”乌古哈说，“喂，你，皮包奇卡，耳朵怎么竖起来了？快点去把我那条最漂亮的裙子拿来！没看见我有客人吗？可我只穿着一条裤子，连羽毛都遮不住！”

刚刚停止抽泣的皮包奇卡，顺着螺旋楼梯跑到楼上去了。

“是这样……是这样！”猫侦探精神振奋起来，“如果当天你过生日，就意味着一定有客人是吧？”

乌古哈迅速抬起翅膀说："当然了！有松鼠布拉卡、椋鸟真尼、黄鼠史木莰、讨厌的母鸡苦大哈、一群没头脑的麻雀和刺猬阿加西。我本来还想叫上小乌龟莎娃，可是一想到我上次过生日他没来，我就改变主意了。客人们吃完饭，准备走的时候有人顺走了首饰匣。这一切都是因为皮包奇卡，什么也看不住。我不会付她工钱，小得像个苍蝇，却比大象还能吃，她就是要吃穷我。"

"你请什么样的客人和皮包奇卡没关系！"球恰袒护皮包奇卡。

"住嘴，老鼠，你的位置是老鼠洞！"乌古哈打断她。

"哎，哎！请别欺侮我的警鼠！否则，乌古哈，你就不得不接受长时间的再教育！"猫侦探喊道。他又在房间里走了一圈，差点儿碰到木桶里正在开花的仙人掌，然后开始推论："这么说，你过生日时母鸡来过，然后她又藏到我们的水桶里，这意味着什么呢？哎，老鼠们，你们都记下猫头鹰的证言了吗？"

老鼠们很绝望地摇头，猫侦探重重地喘了口气：

"我们犯了一个不可原谅的错误——有可能忽略了一个罪犯。不过我们这里还有一群可以怀疑的人：松鼠、刺猬、椋鸟、黄鼠和……"

"还有皮包奇卡！"乌古哈接着喊道。

“不对！最后一个嫌疑人是你，你可能自己忘记把首饰匣放在哪里，现在又说被偷了。”

“胡说！”乌古哈喊，“我的记忆力好着呐！哎，真有意思，我把眼镜放在哪里了？”

“眼镜对我们没有用。现在你要详细说说生日那天都发生了什么事，以及你怀疑的对象。”

乌古哈作出痛苦的表情，然后突然大哭大号：

“我怀疑他们每个人！谁都不可信！我们坐在桌旁就餐，应该承认，宴席就是美味佳肴，然后在最庄严的时刻我决定展示一下自己珍贵的首饰匣，这可是我曾祖母给我留下的遗产！大家都很羡慕我。我把首饰匣放在窗台上后我们就开始跳舞。我有一个和每一位客人跳舞的习惯，当然，除了松鼠和母鸡。这时松鼠布拉卡突然慌张起来，她说她的蘑菇晒得干透了，说要回家。你们自己想一想，蘑菇怎么能干透了？我对她说……这不是那条裙子！”

“什么？”猫侦探打断她说。

“这不是那条裙子！”乌古哈抓着皮包奇卡拿来的裙子扔到她身上。皮包奇卡尖叫一声就跑了。

“太可怕了！你对可怜的皮包奇卡怎么这么不好！我同情她！”布布沙喊道。

“你们找到我的首饰匣，我就可以原谅她。”

“我们找到首饰匣你就得向皮包奇卡道歉！”猫侦探说，“你的意思是说松鼠看见首饰匣后的行为值得怀疑？”

乌古哈点头：“非常可疑！她立刻就走了，但是愚蠢的松鼠不知道还有个最重要的东西！”

“松鼠不知道什么？”皮包奇卡一边忙一边问，她正帮助主人拉紧那条花裙子。这裙子也太大了，看样子能把这些老鼠都装进去。

“只有用钥匙才能打开首饰匣，而钥匙一直挂在我脖子上。”乌古哈把裙子拉紧，“这不，你们看看！”

乌古哈使劲挺着胸脯，以至于羽毛都竖了起来。一把金色钥匙用一根蓝丝带系着，直接挂在她嘴巴底下。钥匙上镶着的五彩缤纷的宝石闪闪发光。

老鼠们从来没看见过这样精美的东西。球恰惊叹地“啊”的一声

大叫，皮包奇卡伸出爪子，乌古哈立刻把钥匙收回去了。

“这非常有意思！”猫侦探高兴地说，“就是说，偷首饰匣的罪犯一定会来你这里偷钥匙！”

“哎呀，这又得产生出多少犯罪分子呀！”球恰发出害怕的声音，“开始是贼仔，然后是母鸡，现在又是松鼠、刺猬和椋鸟。活着太可怕了！”

“不是可怕，是有意义！”皮克反驳道，“无论我们抓住多少罪犯，都要教他们重新做人！我们又可以埋伏在家旁边的灌木丛里了。”

“为什么要埋伏在那儿？”猫侦探很惊奇，“罪犯会到乌古哈这里来，所以我们就在她家里设埋伏！”

“在我家里？”乌古哈问，“我不允许！”

这时皮克突然大声尖叫起来，以至于大家都把耳朵堵上了。“快看那儿！布拉卡在那里，在小路上跑呢！猫侦探，你是天才！布拉卡是取钥匙来了！她是罪犯！”

大家都朝窗户那边看。布拉卡正急急忙忙沿着小路朝树宅这边跑。

“救命啊！”乌古哈扯着嘶哑的嗓子声嘶力竭地喊叫，然后就倒在了粉红色的地毯上。

砰！
砰！
打碎的时尚餐具

第七章
松鼠的幸与不幸

我量了猫的身长，
从胡子到尾巴，
如果揞着脖子把他赶走，
如同赶走二十五只老鼠！

猫侦探达芬奇走到乌古哈跟前，揪了揪她的翅膀。

“需要尽快让猫头鹰恢复知觉！”

“马上！”皮包奇卡说。她突然苦苦哀求道：“乌古哈太太，您暂时休息，我可不可以用一下您的香粉、小包包和食品柜啊？我一点儿钱也没有，我真的太饿了！”

“你这可耻的家伙，想干什么呀！”乌古哈瞬间清醒，立刻**暴跳如雷**。

猫侦探往窗户那边看了一眼，布拉卡很快就要跑到树宅了。

猫侦探皱着眉头说：“为了揭发布拉卡的盗窃行为，我们要在犯罪现场抓获她！”

暴跳如雷： 急怒叫跳，像打雷一样猛烈。形容又急又怒，大发脾气的样子。

“什么？”球恰没听懂。

“犯罪现场。就是要在她偷猫头鹰钥匙那一刻抓住她的爪子！”

“我不给钥匙！”乌古哈掐着自己的喉咙声嘶力竭地喊。

“别担心，谁也拿不走你的钥匙。你把钥匙放在桌子上，只要松鼠来拿，我们就抓住她！”

这时球恰往窗户那边看了一眼，然后猛地闪到一侧：

“布拉卡已经到楼梯旁边了！”

老鼠们惊慌失措，开始四处乱窜，一会儿撞墙上，一会儿又互相乱撞。

“安静！”猫侦探命令道，“猫头鹰，你坐回到圈椅里，假装痛苦的样子，其他诸位都藏起来！”

乌古哈从脖子上取下钥匙放到桌子上。猫侦探躲到窗帘后面，老鼠们钻到了沙发底下，皮包奇卡藏到乌古哈的裙子下面。

乌古哈跳起来，想要摆脱这个**玩忽职守**的女佣。就在这时，门猛地被推开了，气喘吁吁的布拉卡冲进了房间。

乌古哈突然想起来，她还单腿站着呢，翅膀抬得很高，

玩忽职守： 不认真、不负责地对待本职工作。

她只好装出由于痛苦开始做体操的样子。布拉卡踢了一脚凳子，往乌古哈跟前走。布拉卡的毛都竖起来了，那尾巴让你联想到一把破刷子。

“啊！！！”布拉卡大声喊叫，“你在跳舞？”

“嗯！”乌古哈同意地说，同时感到自己像个大傻瓜。

布拉卡走到桌子跟前，倒了一杯水，一口气就喝光了。

乌古哈把头转过来了，还是单腿站着。应该说，许多动物都非常羡慕猫头鹰的头，她好像完全没有脖子，但是想怎么转都可以。乌古哈经常转脖子吓唬熟人，因为她一转脖子，她的嘴像是长在正常鸟类后脑勺的位置。

布拉卡抱怨说：“干吗这样看着我！这都是你自己的错！”

猫侦探非常好奇乌古哈有什么错，他从窗帘后面探出头往外看，布拉卡在原地跳了起来。

“啊！！！”她叫的声音更大了，“我就知道，你们统一行动！谁在那藏着呢？快出来！”

皮包奇卡被喊叫声吓得咬伤了乌古哈的脚。

“啊，哎呀！！！”乌古哈叫声凄厉，一下倒在布拉卡的身上。布拉卡被压在她翅膀底下，抓着桌布拼命往外爬，把桌布拽到了自己身上，随之餐具发出“稀里哗啦”

的响声，碟子和茶杯散落一地，同时钥匙也掉地上了。

“救命啊！”皮包奇卡大声尖叫，随后就被乌古哈用尾巴拍打了脑袋。

“敢打我们的人！”猫侦探喊道，声音一点儿都不比乌古哈小，同时扑过去帮助皮包奇卡。

皮克和布布沙扑倒布拉卡，抓住她的尾巴，按到地板上。布拉卡大声哭叫，又踢又打。

乌古哈“咕咚”一声跌倒了。皮包奇卡的四肢又细又小，勉强眯缝着眼睛支撑着站在这一片慌乱之中。

皮克从皮包奇卡身旁跑过去，猛地拍了一下她的后背说：“别害怕！猫侦探会救我们大家的！”

皮包奇卡两腿一软，倒在一堆破碗碎碟上。

乌古哈终于站直了身子，扯着嗓子喊起来：“我问你们，我的钥匙在哪里？”

“不……不，不知道！”皮包奇卡用爪子拽着那根蓝色丝带说。

“那你拿的是什么？”

“钥……钥，钥匙！”皮包奇卡磕磕巴巴，含糊不清地说。

“赶快拿过来，你这个愚蠢的佣人！”

乌古哈一把夺过钥匙，亲切地抚摸一下后挂到脖子上。皮包奇卡用鼻子大声地抽着气，开始收拾地板上的餐具碎片。

布拉卡躺在地板上，老鼠们抓着她的爪子，拼命地大声“吱吱”叫喊：“我们抓住了罪犯！是她推倒了桌子，想抢走钥匙！”

大家都这样看待布拉卡，实在令她心灰意冷，不知所措，只能嘟嘟囔囔地为自己辩解。

猫侦探走到布拉卡跟前。

“我们都知道了，不用反驳了！”他一字一句地说，“你的每一句谎话我们都会当真话听，但是你不可能解释清楚自己的每一个愚蠢行为。我，是从月亮上降落下来的天才侦探，超级猫侦探达芬奇，正在侦查一个危险的犯罪案件。”

“是这样啊！”布拉卡喊道，“那你现在就找到我的项链！放了我！”

老鼠们用疑惑的眼光看着猫侦探，猫侦探使了个眼神，示意他们放了布拉卡。布拉卡跳起来抖了抖身上的毛。

“我丢失了项链！”布拉卡喊道，“我应邀参加生日派对，尾巴撒上了西红柿酱汁。我要走的时候，突然发现这是有人故意给我倒上的，为了不让我发现丢失的项链！这事怎么解释？”

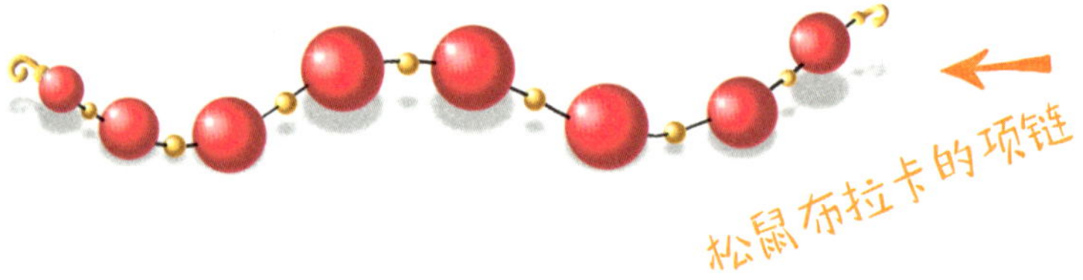

大家都看着猫侦探，猫侦探看着乌古哈，而乌古哈的眼睛又盯着皮包奇卡。

“我不知道这该怎么解释，我是个穷女佣，我一无所有！”皮包奇卡喋喋不休，又要号啕大哭起来，这时猫侦探走过来帮助她。

“应该这样解释！”猫侦探达芬奇喊道，“你们的任何超级问题都是我的超级问题！”

“你帮……帮……帮我吗？”布拉卡磕磕巴巴地说，以防万一，她把尾巴翘起来了。

“当然！老鼠们，记录‘第四号案件’——布拉卡的项链。今天我的事情太多了，但是首先我们应该面对面地谈好我们的酬金。”

“没什么可谈的，你们找到项链，我给你们蘑菇，想要多少都行！”布拉卡忙乱起来，竭力讨好猫侦探。

猫侦探揉一揉爪子：“老鼠们，你们喜欢蘑菇吗？”

“喜欢，喜欢带很多奶酪的！”布布沙尖声说。

“带奶酪的蘑菇我没有，我只有晒干的，但是你们可以拿蘑菇和刺猬换奶酪。”布拉卡忙说。

“好，我们要你的干蘑菇，但是要双倍的！那么项链，你可以认为已经在你的兜里了。”

“这都是皮包奇卡的过错！”乌古哈突然说话，“是她想出来的，说你是小偷，可我到最后一刻也没相信！”

“我没说过这样的话！”皮包奇卡尖声喊道。

“到处是贼！”乌古哈胆战心惊地跺了一下爪子，突然听到有什么东西发出“叮当”响声。

“哎，乌古哈，你再跺一下脚！”猫侦探说。

乌古哈又跺了一下脚，一条漂亮的、闪闪发光的珍珠项链从她裙子里掉了出来。

“哎？这是从哪里出来的？”乌古哈很奇怪。

“看吧，这就是布拉卡的项链！”猫侦探严肃地说。

“我的项链怎么跑到你裙子里去了？”布拉卡气愤地问，“乌古哈，原来你是小偷！”

“你怎么会这样想？”乌古哈不可思议地说，“我需要你那破项链？像这样的项链我有几百条！我就是不明白它怎么到我裙子里了！”

“偷的！偷的！”皮包奇卡高兴地尖声大叫。

听着这吵闹声，猫侦探连胡子都笑弯了，最后他郑重地宣布：“猫头鹰不可能偷项链，我有证据，这一点我以后告诉你们。乌古哈，现在你再说说布拉卡要走的那段时间你在干什么。”

“椋鸟真尼想请我跳舞，他用餐巾擦了擦翅膀，我们就翩翩起舞了。”

“那个餐巾现在在哪里？”

“哪里？在垃圾桶里呗！”乌古哈不情愿地嘟囔道，“这有什么奇怪的吗？你能用这个说明什么？”

“老鼠们，赶快去搜查一下垃圾桶，在桶里找到真尼用过的餐巾！那上面应该有黑色的羽毛。那么你们开始跳舞以后又发生了什么？”猫侦探追问。

“我们跳完最后一支曲子时我感觉身子有点儿沉。”

“你感觉有多沉？”

“二百克重。怎么？我的外貌你不喜欢吗？你是不是还想问我多大岁数了？”

这时皮克跑到猫侦探跟前，递给他一个揉成一团的餐巾，上面有西红柿酱汁污点和黑色羽毛。

“看见了吧，这一切都这么简单地契合了。”猫侦探思索着，“真尼偷了首饰匣，然后为了混淆罪迹，又偷了布拉卡的项链，放到乌古哈的裙子兜里。为了让布拉卡不能及时发现，又往她尾巴上抹西红柿酱汁，然后用餐巾擦了弄脏的翅膀，自己拿着首饰匣若无其事地飞走了。”

“天才！”布拉卡赞叹道，同时把项链挂到脖子上。

“就是说，我们现在抓捕到真尼，案件就结束了？”

布拉卡惊叹地张着嘴呆坐在那里。

“你们知道真尼去哪里了吗？他去刺猬阿加西那里了！如果真尼就是真正的罪犯，那阿加西可就逃不过这场灾难了！”

“太可怕了！当然了，真尼肯定是罪犯！阿加西有可能是他的同谋！”皮包奇卡大声尖叫。

猫侦探跑到门口说：“我的忠诚的老鼠们，来，跟我走！我们去救阿加西！”

除了皮包奇卡，老鼠们都跟着猫侦探跑了，乌古哈吩咐皮包奇卡收拾地板上的破碟子碎碗。

“我也跟你们一起去！”布拉卡喊着就加入天才猫侦探的队伍里。

他们刚刚走，橱柜的门就悄悄打开了，母鸡苦大哈伸出头向外窥视。

“你在这里干什么？”乌古哈生气地说，“你已经把我这里的东西都啄光了！”

“快讯！”苦大哈一边小声说，一边慢慢向门口走，“超级猫侦探十分钟揭开案件真相！”

“如果你现在不马上滚出我的家，一分钟我就毁掉你！”乌古哈威胁说，“我会薅下你尾巴的毛！”

苦大哈卷起尾巴跳出了窗户。这时门铃响了。

“你们还想要我干什么？！”乌古哈一边开门，一边**情不自禁**地大喊着。

门槛上放着一大束洋甘菊花。

“这是什么？一把扫帚吗！”乌古哈愤怒地说，还踢了花束一脚。花瓣散落一地，原来乌龟莎娃在花束底下。

“祝你生日快乐！”他愉快地喊道，“你一点儿也没变样！我去年收到你发出的邀请，立刻就开始往这儿爬。我没迟到吧？”

“都不要再给我添乱了！”乌古哈嘶哑着嗓子喊着，同时对着莎娃的鼻子“咣当”一声把门关上，然后用最大的门闩把门插上，又加了三把锁和一条铁链子。

情不自禁：抑制不住自己的感情。

老朽
愚钝的
伯爵小姐
猫头鹰
伯爵小姐
乌古哈（收）

猫侦探达芬奇的家庭作业

我们一起画一头真正的猪！

自己画一下吧！

第八章
拯救刺猬的战斗

我会以物易物，
用刺猬换游蛇，
用游蛇换黄雀，
用黄雀换刺猬，
用这一切换一条吊带。

（精明的黄鼠史木茨）

天色已接近黄昏，猫侦探、老鼠们和布拉卡沿着尘土飞扬的道路奔向刺猬阿加西的家。布拉卡蹦蹦跳跳地跑在猫侦探的左右，表面上是精力旺盛，而实际上是方寸已乱，慌不择路。

“那不是吗，拐弯就是刺猬的家！”布拉卡喊，“我一直在想，刺猬住在什么地方，原来他住在树墩子里。怪不得他经常这样说：‘我回树墩去了。’窗户、小门和房间都是自己装修的。真不知道他在哪里找到的树墩子，但是，树墩子很好，可以说真漂亮！”

猫侦探达芬奇没怎么注意听布拉卡说什么，他在考虑抓捕真尼的计划。要知道真尼是演员，一不注意，他“嗖”的一下就飞走了！要在封闭的空间里抓他，也就是说在阿加西的家里，叫他没有任何机会溜掉。

猫侦探突然停下脚步。

“都听我说！不能让椋鸟看见松鼠，不然他就会猜到是什么事，就会藏匿起来。”

“我需要戴上面具并且化化装！”布拉卡拿定主意后脸红得像甜菜疙瘩一样，“我可以装猫吗？”

“不行！我们这里只有一只猫！”老鼠们立刻尖声喊。

“那我们就去采集一些草，用草做裙子和草帽，装作是菜园稻草人的朋友，想和名流近距离接触和认识。”

“我不想换衣服，反正椋鸟也不认识我，不会妨碍你的。”

布拉卡钻进路边的云杉林。

几分钟之后，从树林里走出来两株灌木。

“这是什么奇迹？跑进去的是一只松鼠，却出来了两只！”布布沙惊讶地说。

“快认一认，哪个是松鼠？”猫侦探喊。

大一些的那株灌木突然又冲回树林。

“抓住他！”老鼠们想跑过去追赶，但是猫侦探阻止了他们。

“我们不需要抓捕这株灌木！他自己会回来投案的！”

“为什么？”

“因为她是母鸡苦大哈，她想混入我们的队伍。可不要轻易和记者打交道！”

"你是怎么知道的呢？"布拉卡问道。

"非常简单！"

猫侦探弯腰从地上捡起一张新出版的《母鸡真理报》，这是刚刚从灌木里掉出来的。

"你这只猫也太出色了！"布布沙非常惊讶，"什么都能发现！"

报纸上有一张猫侦探的大照片，爪子里拿着布拉卡的项链，下面是签名。

阿加西的树墩家位于离河不远的一个小丘上。周围蝴

蝶飞舞，山雀鸣叫。可是，超级侦探无暇顾及周围的美景，他直接走到门前，推开了房门。

“有人吗？”猫侦探说着往屋里看了一眼。

“谁呀？”屋里有人问。

“我，猫侦探达芬奇！”

“进来吧。”

刺猬阿加西和黄鼠史木茨坐在狭小的客厅的桌子旁边，客厅的窗户很小很窄。史木茨在哭。

“完了，我们来晚了！”布拉卡一边说一边往下扒身上的树枝。

“你们出什么事了？”猫侦探问。

“动物们，大家好。”阿加西忧郁地和进来的动物们打招呼，没抬眼看他们，“我们很痛苦，史木茨丢失了自己心爱的金表！”

“是！”史木茨声音嘶哑地擤着鼻涕。

老鼠们互相交换了一下眼神。

“这是怎么发生的？”老鼠们**争先恐后**尖声“吱吱”叫着问。

“不知道。生日派对结束后，真尼、我和阿加西就从乌古哈家里出来了。阿加西请我们到他家里做客，当时真

争先恐后：抢着向前，唯恐落后。

尼说他有急事必须先回家看一眼，但是答应我们一定会来。等他飞走了以后，我就发现自己的金表不见了。我和阿加西在小路上来回找了两遍。表消失了，好像掉进地缝里去了。这可是一只好怀表，有秒针、分针，每小时都用布谷鸟的叫声报时。我没有怀表就好像没有了爪子似的。”

“我们非常同情你！”球恰喊道。

“就是说，你和真尼分别后就发现表不见了？”猫侦探问，他的绿眼睛眯成一条线。

“是的，事情就是这样的。你们想不想买我的吊带？”史木茨突然问，“这样能多多少少给我一些安慰。”

“不，我们不想买！我们没什么需要勒紧的，所以吊带对我们没什么用。”猫侦探拒绝了，“但是我认识乌古哈，她的裙子总是往下掉……”

“你是说猫头鹰？”史木茨皱起了眉头，“我的吊带在她那里都成堆了，她过生日那天我送给她整整一箱。”

阿加西从炉子上拿下开水壶，往每个茶杯里倒开水。

“请坐下喝茶。”他邀请道。

“谢谢，不过我们需要开个小会。”

猫侦探从房间里跳出来，队伍里的所有人紧跟其后跑出来。

老鼠们把猫侦探围了起来。

“真尼偷了怀表！”球恰尖叫道。

“什么也没搞明白！”皮克说，“也就是说，是真尼飞回家藏起了首饰匣和怀表，但是他现在在做什么？他没有钥匙怎么打开首饰匣？如果他需要去乌古哈那里，那他又为什么要去刺猬家？”

“安静！”猫侦探巡视了一下周围，发出嘘声，“我没想到这个椋鸟这么狡猾。他完全搞乱了罪迹，他有可能会来阿加西这里，还有可能到乌古哈那里拿钥匙。”

“皮包奇卡保护不了乌古哈。”布拉卡说出自己的看法，“我现在就去乌古哈那里，告诉她把门都锁上，说什么也不能给真尼开门，你们在这里给真尼设陷阱。”

“这个主意不错。”猫侦探点头同意，凝神看着布拉卡，布拉卡马上转过身飞快地朝乌古哈家跑去。

"这只松鼠挺奇怪——"布布沙拖着长音说，"我们用扫帚撵她都撵不走，现在却自己跑开了。"

"走，进屋里去找史木茨和阿加西取证，但是也不能忘记，他们目前仍然是怀疑对象。布拉卡的项链有可能是阿加西，还有可能是真尼塞到乌古哈裙子里的，因为他们都和乌古哈跳舞了。"猫侦探一边看着布拉卡消失在树林，一边说，"我觉得我们距离揭开秘密还很遥远。"

布拉卡一心朝乌古哈家的方向飞奔，完全没有想到那里有什么在等着她。乌古哈家里出现了可怕的事件，她怎么也不会想到罪犯竟然离她这么近。

第九章
最短，也是最危险的一章

一、二、三、四、五，
刺猬夜里在散步，
孩子们，我们对这不屑一顾！

乌古哈坐在圈椅里，望着窗外，思考着生活究竟有什么意义。她喜欢用一些毫无意义的话题激怒皮包奇卡，这不，现在又在**高谈阔论**了。

“皮包奇卡，回答我，从你那里能得到什么好处？算了，你可以不回答。从你身上得不到任何好处。你就是一个无聊透顶的家伙，一点儿没错。你认为我的首饰匣能不能找回来呢？不过话又说回来，你会思考吗？你什么时候出去逛一逛啊？你身上怎么一股洋葱味，都快把我呛出眼泪来了。”

“我身上为什么有洋葱味，是因为我整个早晨都在给你准备早餐，准备了那么多，连晚餐都够了！”皮包奇卡尖声“吱吱”叫。

“你自己要明白，你说的是什么！”乌古哈含糊不

高谈阔论： 多指不着边际地大发议论。

清地嘟囔，“别跟我顶嘴，洗碗去！跟你在一起没什么好日子过，什么都得我操心。”

皮包奇卡唉声叹气地收拾了破碎的餐具，然后去了保姆间。在这个房间里发生了谁也预料不到，也不可能预料到的事。皮包奇卡刚刚进门，那里就传出可怕的声音和绝望的尖叫。

不过，乌古哈只顾着自言自语，根本没听见耳边的响声。哪怕她稍微集中一下自己敏锐的听力，就一定会听见保姆间里的打斗声，更重要的是还能来得及求救。可是，乌古哈无忧无虑地闲扯，完全没发现从保姆间里走出来的根本不是她的女佣，而是她在这个世界上最害怕的那个家伙。

“喂，皮包奇卡，你说我现在想到了什么，我在想是不是要再雇一个女佣换掉你。”乌古哈继续说，“是雇黄鼠，还是松鼠？你怎么看，松鼠给我服务合适吗？”

乌古哈想听到回答，她转过头后，张着嘴巴呆住了。

乌古哈遇到什么事了？

好无聊！
我都听见了

第十章
讯问证人

我们是老鼠，跟着无畏猫侦探走，
我们是老鼠，能眼观八方耳听六路，
我们是老鼠，我们是老鼠，抓捕凶手是能手，
我们是老鼠，我们是老鼠，我们是老鼠！

在进入阿加西家之前，猫侦探给老鼠们下达了非常宝贵和重要的指示。

“听着，老鼠们！现在我们面临着复杂的战斗，我们要从阿加西和史木茨那里问出生日当天以及关于首饰匣的所有情况，同时关于我们所知道的偷窃的事不要说走嘴。进去以后就说我们是真尼的粉丝。我负责所有的事，你们不用说话，点头就行，都明白吗？”

老鼠们一齐点头。

“那我们能得到什么结果呢？”球恰含

糊不清地说。这时猫侦探已经进屋了，老鼠们也跟着进去了。

阿加西家里还和以前一样。他用那个红色的大茶壶给大家倒茶，史木茨端着杯子一边小口地喝茶，一边讲述着自己的痛苦。

“喂，诸位动物们！请过来坐下喝茶！我总是非常乐意招待客人。”阿加西说，“现在我给你们倒茶。”

“这些茶杯是给谁预备的？”球恰指着桌子上七只装满茶水的杯子问。

“我也不知道，”阿加西诚实地说，“可能还有谁要来吧……你们也可以喝这些，然后我再给你们倒。”

“你为什么不问问我们是谁呢？”皮克突然问。

阿加西梳理了一下头上的刺，不太肯定地嘟囔道：“那，你们，你们叫什么？猫、耗子，呸，真笨，是老鼠。”

“从今天开始，我们的阿加西记忆出问题了。”史木茨很忧郁地解释，“我们证实一下，看他是不是已经把我的怀表忘记了。”

“我什么也没忘！”阿加西生气了，“你有一块漂亮的怀表。顺便告诉我一下，现在几点了？”

“都看见了吧？”史木茨挥动着爪子，“有件事可以让我感到很宽慰，他今天买了我两箱吊带，我感觉，如果再坐个把小时，他会买第三箱。”

刺猬推开茶杯，看了一眼史木茨说：“哎呀，你的货卖得真快！趁现在还没被抢光，我要再买一箱！”

猫侦探走到桌子跟前，坐在空的圆凳子上，老鼠们都爬上凳子，两只老鼠挤在一个凳子上。

“我们在寻找真尼。”猫侦探达芬奇像不经意似的说，“我们是他的崇拜者。”

“你是大粉丝，我们是小粉丝！”皮克喊道。球恰严厉地瞪了他一眼。

“想要他的亲笔签名。”猫侦探继续说，并且装作没听见皮克说的话，“听说他今天在猫头鹰的生日派对上分发了签名。”

“嗯，应该祝贺乌古哈生日快乐！”阿加西梳理了一下针刺，激动地喊道。

皮克笑喷了。

“签名？”史木茨又问，“难道你们觉得乌古哈需要他的签名？这个长羽毛的猫头鹰只喜欢自己。她拿出自己贵重的首饰匣就开始吹牛，‘你们看吧，都说我土豪，可你们，这帮傻瓜，你们就没有这些东西！’大家的心情立刻被破坏了，根本没想到什么签名的事。”

“难道真尼就没在生日派对上唱歌？”猫侦探不相信，“我有点怀疑。”

“他失望极了，乌古哈根本就没拿他当回事，他甚至都没开嗓。”

“没开嗓，受冷落了，于是就偷了首饰匣！”皮克猜测。

布布沙抓起桌子上装着凉茶的茶杯。

“喝茶，别插嘴，要不然全都给搞砸了！”他嘟囔着把茶杯推给皮克。

这时，阿加西挥动着小短爪子，开始为真尼打抱不平：“真尼不会偷任何东西的！他是超级天才！有那么好的嗓子！除了音乐他对什么都没兴趣！我曾经好多次拉他和我一起去森林里采蘑菇，他一次都没去！你们难道以为他想要首饰匣？”

“阿加西说得对！”史木茨支持他，“真尼马上要开音乐会了，他已经给我们送来了请柬门票。他现在又回家拿票去了，要挨家挨户送呢。我们答应帮助他，记得吧，阿加西？”

“记得！”阿加西点头，“我想买你的吊带。”

老鼠们互相交换了一下眼色。皮克又张开嘴巴要说什么，布布沙立刻把拳头伸到了他鼻子下。

“真尼是最好、也是最诚实的鸟，”史木茨说着往茶杯里添了点茶水，“他买了我的吊带，准备在音乐会上赠送给听众。”

“为什么？”猫侦探感到很惊奇。

“他喜欢做慈善，还给动物们送福利。看吧，他又要送了。”

“送，送，然后再偷走！我们有不容置疑的证据证明真尼偷了首饰匣！”皮克终于忍不住了。

猫侦探眼睛盯着这只小老鼠，阿加西呆住不动了，史木茨眼珠子都快鼓出来了，看起来他好像是猫头鹰的近亲一样。

这时史木茨哈哈大笑起来，笑声把桌子上的茶杯都震得颤抖了。他用爪子拍打自己的膝盖，又踱来踱去。

阿加西跌到桌子底下，在那里小声地“吱吱”叫。

“真尼把乌古哈的首饰匣拿回家了？胡说！我们是一起从乌古哈家里出来的，他翅膀下面根本没有什么首饰匣！你们有什么证据这么说？”

“嗯，嗯，嗯……”猫侦探不知道怎么摆脱这个尴尬的处境，哼哼唧唧地什么也没说出来。“我们不久前去乌古哈家里，她和我们说她的首饰匣丢了。乌古哈想是真尼……”

“这不，我们就来请真尼还回首饰匣，同时想要拿到他的签名。”

“如果不是真尼，那又是谁干的呢？”球恰嘟囔一句。

“阿加西，你偷了乌古哈的首饰匣吗？”史木茨问。

“没有，我没偷。”阿加西老实地说，“我是充满正能量的好动物。”

“那就是布拉卡偷了！”史木茨得出结论，“她现在跑哪儿去了？是不是正在藏匿首饰匣呀！”

“不，布拉卡自己也被偷了！我们在乌古哈的兜里找到了她的项链。”

“这就对了，”史木茨同意，“乌古哈勒索布拉卡，布拉卡就夺了她的东西作为报复。这事儿阿加西应该明白！”

“是吗？”阿加西说，“当然，应该是这样，但还是没完全明白！”

“我也是什么都没明白！”完全被搞糊涂的猫侦探放下了爪子。

“怎么会呢，你怎么会不明白呢？”老鼠们尖叫着，“你是天才呀，你应该什么都知道！”

“我当然是天才，什么都不能让我罢手！现在犯罪事实都搞乱了，还有哪些站得住脚的证据？老实说，我不太相信布拉卡有什么过错。有可能是犯罪分子正牵着我们的鼻子走，同时他在销毁罪迹。”

“那么到底是谁呢？”史木茨梳了梳毛，“布拉卡，真尼，乌古哈？也有可能是苦大哈，她也参加了生日派对。”

“我知道要怎么做了！”猫侦探做出了决定，“我要召集所有的动物，复原过去事件的场景。这样我们就有可能成功发现犯罪分子！阿加西，添点茶水，喝完后我们一起去乌古哈家。”

“那我呢？”史木茨有些疑虑地问。

“大家都去！”猫侦探重复了一遍，然后率先从桌子旁站起来。

哈——哈——哈！！！

第十一章
可怜的皮包奇卡

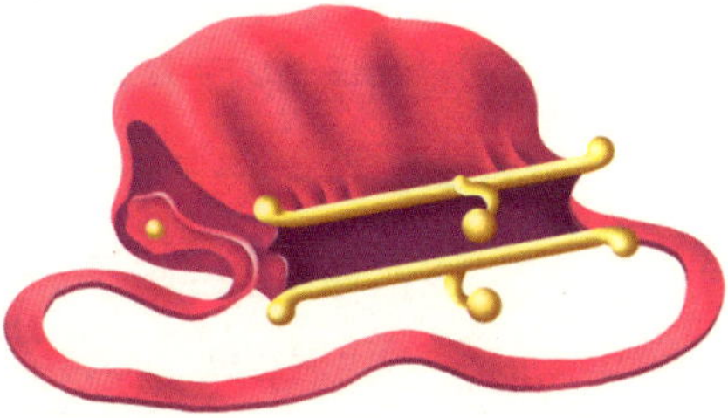

我大白天来到这里，
你们可不要抓捕我。
我聪明、狡猾、险恶，
总之，制造恐怖又恐怖的是我！

（那个大家都害怕的家伙）

乌古哈用翅膀抓着脑袋。屋子中间站着最可怕的罪犯——凶恶的贼仔，他凶狠地上牙咬着下牙。

“救命啊！”乌古哈扯着嘶哑的嗓子喊叫，“皮包奇卡！家里进外人了！”

贼仔粗鲁地笑着说：“你永远也见不到你的女佣了！愚蠢的猫头鹰！我已经像现在报复你一样报复了她！但是，你还有机会自救。把钥匙给我，这样我还有可能饶恕你！”

“你把我的女佣怎么了？你这个卑鄙、龌龊的**啮齿动物**！”

“住嘴！猫头鹰，现在按照我说的做！不然我撕烂你的嘴，你就再也不能说我的坏话了！”

啮（niè）齿动物：是哺乳动物中种类最多的一个类群。上下颌只有一对门齿，终生在不断地生长，如果不磨掉，会影响进食。

贼仔逼近乌古哈，伸出瘦骨嶙峋的爪子想要抢钥匙。

乌古哈吓得从圈椅上跳下来，扇动着翅膀往后退，撞到墙上以后她无法再动了，不知道下一步如何是好。

贼仔嘲讽地哼了一声，两眼冒着怒火，正准备扑向乌古哈，这时突然……

“这里发生什么事了？”传来了一个声音。

贼仔急忙收回爪子，猛然回头环顾，看见松鼠布拉卡站在窗口。只见她一脸凶相，攥紧拳头跳到地板上，尾巴紧张地上下扇动，“噼啪”直响。

“救命！”乌古哈发出嘶哑的声音求救。

“小松鼠快上啊！”贼仔酸溜溜地一笑，“来，我们先玩个游戏，游戏的名字叫‘找钥匙’。喂，谁在那里？”

贼仔急促地抽了一下鼻子，同时往布拉卡背后看。

布拉卡转过身，可是什么人也没看见。

瞬间，贼仔“啪”的一声就把布拉卡推倒在一棵大仙

人掌上，而他自己急忙逃跑了，门锁发出很大的响声，门也“噼里啪啦”地响。

布拉卡抬起头，乌古哈似乎看到了一只病态的、脱毛的、长着绿刺的小刺猬。

“追上他！”乌古哈喊，“你要什么我都给你，快追上他，把他带到这里来！他偷走了我的女佣！”

猫侦探达芬奇的家庭作业

猫唱歌用的密码

用密码写一句话吧！

老朽
愚钝的
伯爵小姐
猫头鹰
我站岗！哎！嘿嘿！

第十二章　追捕

闲逛，打架斗殴，
不想和谁交朋友。
认输总比躲藏强，
我要对你如是讲！

猫侦探跳过水沟和倒木，一路奔向乌古哈的家。感觉他不是跑，而是飞。老鼠们喘着粗气跟在他后面狂奔。

“你在哪里学会的这样跑啊？”布布沙气喘吁吁。

“这还不清楚，在月亮上呗！”猫侦探喊道，“从刺猬家到猫头鹰家这段长跑我是冠军！”

“你们那里也有刺猬和猫头鹰吗？”

“月亮上什么都有！”猫侦探回答。

从远处就看见乌古哈的树宅了。

树宅的门“轰隆”一声倒了，身材很小，但是非常凶恶的贼仔从屋里跳到街上。他撞到了站在楼梯上的乌龟莎娃，骂骂咧咧地逃跑了。

“贼仔在那里！”皮克喊。

“现在他逃不出我们的爪心了！”猫侦探怒吼着，“前进！抓贼仔！”

布拉卡从窗户跳出来，

大喊着：“站住！你跑不了了！”并飞快地追赶贼仔。

“你们看，由于过度伤心，布拉卡的毛都变绿了！”球恰尖叫着。

“抓住他！抓住他！”乌古哈把头伸出窗外大喊，喊声响彻整个森林，“他偷走了皮包奇卡！”

贼仔狂奔，四爪不着地，打结的尾巴高高翘起，还牢牢地抓着皮包奇卡的小包不放。

布拉卡大步跳跃，缩短了和贼仔的距离。

乌古哈悄悄回房间一会儿，然后又出来了。

“看见了吧，这是口袋，抓贼仔需要用口袋！”乌古哈挥舞着一块像抹布的东西，她弯腰的幅度太大了，头重脚轻，往下面扎下去了。

“哎呀！”球恰眯着眼睛尖叫一声。

但是，乌古哈及时调整了身姿，马上展开翅膀飞到道路上空，像挥舞旗帜一样继续挥动着口袋。贼仔朝老鼠家的方向跑去，再有一会儿，他就要跑进门把自己锁屋里了。

“站住，坏蛋！我要用口袋套住你！”乌古哈盘旋在贼仔上方。“还没有哪个罪犯能从我手里逃脱，不受任何处罚就**逍遥法外**呢！”

“别枉费心机了！你抓不住我！”贼仔向乌古哈大喊，

逍遥法外：指犯了法的人没有受到法律的制裁，仍旧自由自在。

迅速跳进一片很大的灌木丛里去了。

落日的余晖照得乌古哈眯起了眼睛，她在贼仔的后面俯冲追赶，随着树枝折断的声音，乌古哈消失在灌木丛中。猫侦探跳到灌木丛跟前，那里断枝败叶随风飘舞。

乌古哈正在和贼仔生死搏斗。

稍晚，城里所有报纸都登载了关于这场搏斗的消息和大幅照片。然而，这些报道有的属实，有的失真。

布拉卡在猫侦探身边像旋风一样呼啸而过，然后也消失在灌木丛中。猫侦探紧跟在她后面也冲了进去。

“看啊！他落网了！”乌古哈号叫，“我抓住他了！”

乌古哈从灌木丛中跳出来，身后用力地拖着一个大口袋，罪犯在口袋里横蹬乱踹，拼命挣扎。

动物们都集聚在周围帮着拽口袋。

乌古哈解开口袋后惊慌失措——太出乎意料了！从口袋里冒出个被一团轻烟笼罩着的家伙，黄鼠史木莰都被呛咳嗽了。轻烟散去以后，动物们惊奇地发现是皮包奇卡，她坐在口袋里面痛苦地哭泣。她吓得脸色苍白，身上的洋葱味还是那么浓，把猫侦探呛得眯起了眼睛。

“皮包奇卡！”老鼠们都扑到她跟前，“你怎么在这里呀？贼仔跑哪里去了？”

皮包奇卡抽泣着整理了一下红色蝴蝶结。

“他用尾巴把我拖到这里，说要报复我，

把我绑到树枝上以后就跑了，现在不知是谁又用口袋把我套住了！再多的事情我就不知道了！这事儿什么时候是个头啊？为什么总是抓我？我以后可怎么活呀？”

“我非常理解你。”球恰同情她，“你可以住我们那里。我们会成为最好的朋友。你愿意做我的好朋友吗？”

皮包奇卡号啕大哭，声音越来越大，嘴脸都扭曲变形了。

“咳……我从来都没有过朋友！还好，贼仔把小包包还给我了！”

“喂，拿过来我看看。”猫侦探向前走一步说。

他从女佣手里接过小包包，翻了个底朝上。蝴蝶结、小镜子、口红、扑粉盒、半截洋葱头、一堆糖纸……

“我的怀表怎么在你包里？”史木茨突然尖叫起来，“我没给过任何人啊！”

怀表好像听到了主人的呼叫，发出了刺耳的“滴答”声。

皮包奇卡瞪着大眼睛，很随意地用爪子推开了怀表。

“这不是我干的！是那个贼仔偷偷塞进来的，他想让大家都认为我是小偷。亲爱的猫咪，告诉他们，这不是真的！”

动物们围着皮包奇卡，大家都想对她表示同情和鼓励，就连乌古哈的心肠也变软了。

“别号了！”乌古哈喊道，“最好把丝带系结实，要不然贼仔就会一口把它咬断，钥匙马上就会掉下来了！”说着从脖子上摘下贵重的钥匙递给了皮包奇卡。

女佣用爪子紧紧地抓着它，脸上露出一丝笑容。

“我知道怎么哄她。”乌古哈很有经验地哼了一声。

“可是我们的叔叔到哪里去了？又跑了？”布布沙嘟囔着。

“我的首饰匣到底在哪里呀？”乌古哈立刻想起来了。

“我真想要逮住这个贼仔，抓着他的后脖颈子好好收拾收拾他！”一直站在旁边，不想卷入吵架的史木茨突然参与进来，“这个无赖，他拿走了我的怀表，可我还怀疑是阿加

西干的！”

可是阿加西没听见最后那句话。他还在灌木丛中寻找，希望能采到蘑菇。这样一场打斗以后那里未必还能剩下什么。

“朋友们，既然现在离我们家不远，就请大家进去坐坐。”猫侦探说，“我感觉，这个复杂案件的真相就在我们身边，可我们就是没发现！”

“是吗？可是在哪里呀？”老鼠们尖叫。

“这个你们到家里就知道了。”猫侦探骄傲地回答。

大家都朝老鼠们的家走去。

皮包奇卡从口袋里跳出来以后就缠着猫侦探，在他面前抱怨自己苦命：“我太可怜了！没钱，又没头脑！我什么事都不会做，也做不好。可我还是奢望夏天能在公园散步，冬天能去滑冰……”她把自己说得非常可怜，说着说着眼泪就不由自主地从眼眶里落下来。

“很特别！”猫侦探表扬说，在皮包奇卡前面把门打开。“你可以组织一个‘发牢骚俱乐部’，让动物们成群结队去听你抱怨的尖叫声，并随着你的每一句话高声呼叫。”

这时，猫侦探突然在门槛上站住不动了。

一位**不速之客**正在家里等着他们……

不速之客：泛指意想不到的客人或者不请自来的人。

猫侦探达芬奇的家庭作业

我们一起画愚笨的蜗牛

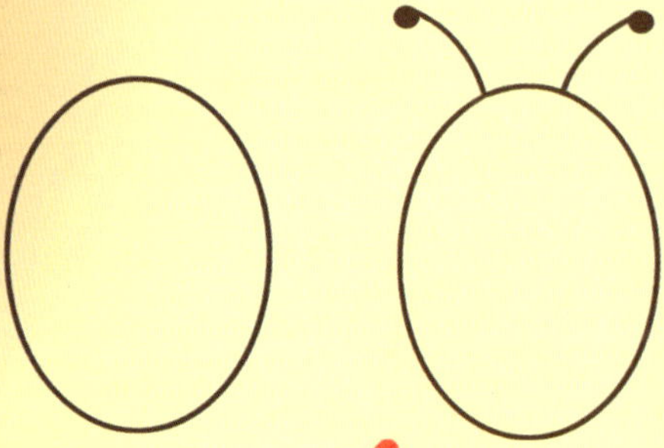

1 画小身子

2 画触角

我们这样画外壳

画点

画环形

画逗点

画逗号转圈

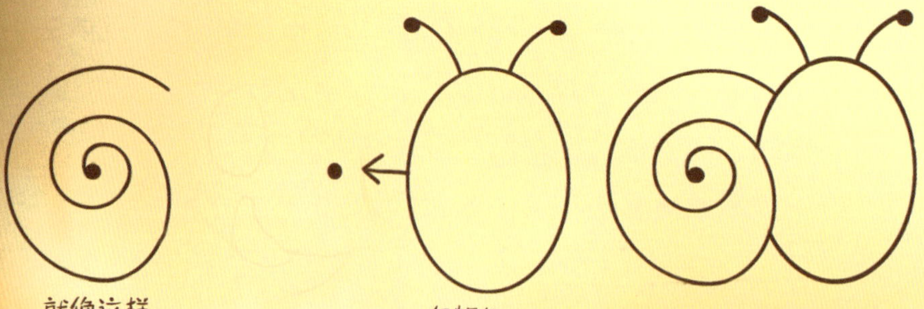

就像这样

在蜗牛
侧面画一个点

以点为中心
画外壳

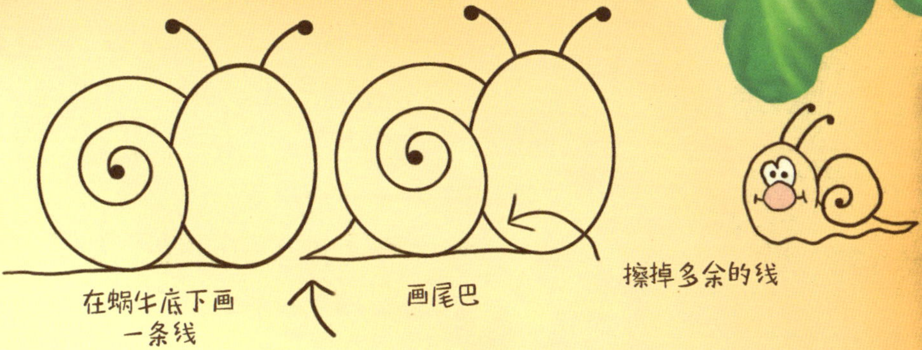
在蜗牛底下画
一条线
画尾巴
擦掉多余的线

自己画一下吧！

老鼠之歌

我们是非常，非常，非常
能冒险的一族。
只要老鼠想到的，
什么地方都能去。
是的，是的！对啦，对啦！
什么地方都能去。

往前走不怕孤独，
勇敢的猫侦探带路。
只要老鼠想到的，
什么地方都能去。
哈哈！哈哈！
什么地方都能去。

无论白天还是黑夜，
坏蛋都无处藏匿。
只要老鼠想到的，
什么地方都能去。
是的，是的！对啦，对啦！
什么地方都能去。

第十三章
当面对质：谁在愚弄我们？

猫侦探达芬奇，猫侦探达芬奇，
当前顶着大压力。
一切重任扛在肩，
没把侦探压断气！

“大家好！大家好！大家好！”椋鸟真尼大声问候。他坐在布布沙心爱的圈椅上，显然是在等老鼠们。“太好了，诸位都到齐了！”

“你在这里干什么？”猫侦探很惊讶。

“我给你们送门票来了，明天我有音乐会。”真尼幸福地微笑着。一摞门票整齐地摆在桌子上，门票上面印有真尼的画像。

“你怎么私闯民宅呢？糊涂虫！”乌古哈喊道。

“嗨，猫头鹰，你总是演你的‘拿手戏’。”真尼拖着长音说。

猫侦探揉搓了一下爪子，大声说道：“既然大家都来了，我建议把这起案件搞个水落石出。大家都请坐。我觉得，我会讲出一些让大家感兴趣的东西来。”

动物们分别就座，目光都集中在猫侦探身上。乌古哈没地方坐，她就把皮包奇卡从椅子上拽了下来。

“你干什么！我要坐在这里！我要坐在可爱的小老鼠布布沙旁边！”皮包奇卡尖叫。

“现在我要坐在这里！”乌古哈一边对着她喊，一边坐到舒服的位子上。

阿加西、史木茨和可怜的皮包奇卡只好坐在从院子里拿回的几块木板上。

大家都**迫不及待**地等着听达芬奇讲话。

“嗨，你们还没开始呀！”苦大哈来了，她站在窗台上。

“进来！”猫侦探邀请她。“现在，请大家都听我说。我把大家召集在一起是想要说明一个事实——乌古哈生日那天究竟发生了什么。”猫侦探开始讲了，室内鸦雀无声。“究竟是谁偷了她的首饰匣，这个‘谁’就在我们中间。”

动物们转动着脑袋，你看看我，我看看你。

乌古哈卷起翅膀，挪动一下，离阿加西远了一点。

苦大哈从采访包里拿出录音机。

“我要录下这个轰动的消息！”她小声说。

“不可能！”老鼠们叨叨咕咕，“贼仔跑了！难道还

迫不及待：急迫得不能等待，形容心情急切。

有谁吗？”

猫侦探神秘地微笑着，史木茨急得开始啃爪子。

“从我着手调查这四个复杂的案件以来，一直觉得罪犯马上就要被抓住了，可是，每一次我都错了。难道像我这样的天才猫也会出错吗？”

“不会！”老鼠们一齐尖叫。

阿加西不舒服地叫了一声，他的耳朵快被震聋了。

“发生这一切完全都是因为罪犯狡猾地销毁了犯罪痕迹，搞假证据把罪证转移到别人身上。”

“喂，你知道吗！”乌古哈喊道，“你的说法让我感到很尴尬！”

“总之，罪犯一直和我们在一起，否则他不会知道开首饰匣的钥匙还留在乌古哈那里。”

“就是说我们中间有一个告密者，是他在帮助贼仔？”布拉卡惊讶地问。

“对！”乌古哈接着她的话说，“就是你，松鼠，你比谁都更喜欢我的首饰匣！”

布拉卡刚想说什么，猫侦探打断了她：“先不要急于下结论。现在我们需要一块块扯下遮丑布，让罪犯原形毕露。贼仔怎么能潜入乌古哈家，偷走首饰匣呢？”

“我自己也绞尽脑汁，冥思苦想！”乌古哈喊。

“这个问题我也想了很长时间。”猫侦探点头，“坦白地说，最开始我曾怀疑过苦大哈。但是，后来我想明白了，她一只母鸡的小脑袋是干不了比送报纸更大的事的。”

“丑化记者，也打过记者。”苦大哈对着录音机嘟囔了一句。

真尼突然把头耷拉到桌子上，大声打起鼾来。

“不必在意。”史木茨说，“真尼这鸟起得早，一大早就起来唱歌，唱歌，唱歌……所以睡得也早。”

猫侦探在房间里走了一圈，聚精会神地注视着每一个人，这使得皮包奇卡感到很不自在。

“罪犯一直在我们身边，并且操纵着事件的发展。”猫侦探戏剧性地挥动了一下爪子，停顿片刻，“他狡猾地隐蔽躲藏，但是唯有一点疏忽出卖了他。罪犯一直在愚弄我们，实际上他也愚弄了自己。皮包奇卡，你可不可以把你尾巴上的蝴蝶结取下来一会儿，给我看一下？”

“这，这是为什么？”皮包奇卡眨巴着眼睛。

“为了做实验。”猫侦探认真地说。

“可是我这个蝴蝶结从来都没取下来过呀！”

“你为什么从来都不取下你的蝴蝶结？又为什么你的鼻子永远是红的，毛又是那么白？为什么每当我们决定在什么地方抓捕贼仔时，你就一定会出现在那个地方？”

“这是因为她是个傻瓜，就是因为这个。”乌古哈解释。

“动物们！”猫侦探大声喊，盖过了乌古哈的声音，“罪犯长时间牵着我们的鼻子走，现在到了揭开他真实面目的时候了！站在你们面前的就是这个坏蛋，可怕的强盗、小偷和诈骗犯，贼仔！”

“在哪里，哪里，哪里？”乌古哈晕头转向。

这时皮包奇卡急忙跳起来，从自己尾巴上扯下了红色蝴蝶结。尾巴上有一个结，和贼仔尾巴上的一模一样。

“是的，我是贼仔！”皮包奇卡跳着，把口红往脸上涂抹。“但是我不会这么轻易地任由你们摆布，就算我是动物城里最险恶的罪犯！你们永远也得不到那幅画了！”

“你不是皮包奇卡！你是我们的叔叔！”皮克尖叫着，好像这是他自己刚刚猜到的。

动物们一个个都目瞪口呆。

“我是专门化了装，让你们谁都认不出来，这样我就可以为所欲为了！”

“你鼻子周围的胡子呢？”

“我薅下去了，所以我的鼻子总是红的！你们是不是还想知道我为什么总爱哭？其实我一直随身带着洋葱头，一闻它眼泪就不由自主地流出来！你们这帮蠢货！我假扮成女佣之后，偷了猫头鹰的首饰匣、松鼠的项链，还有黄鼠的怀表。只有刺猬有点儿猜到了，但是，我毫不慌乱，我用首饰匣重重地砸了他脑袋一下，他就什么都忘记了！

我比所有的动物都**足智多谋**！还有谁能想出化装成女佣，轻易地把想要的东西都据为己有这样高明的计策？”贼仔晃动着开首饰匣的钥匙。

“我的钥匙！”乌古哈从椅子上跳起来喊叫着，“抓小偷啊！”

贼仔摇头摆尾，抖掉身上的香粉，不一会儿周围全都变成白色了。粉尘落地，贼仔不见了，他从房间里消失了。

动物们都冲到院子里去了，只有真尼安静地坐在桌子旁边时断时续地小声打鼾。

突然，橱柜的门开了，贼仔从里面走出来。他环视了一下周围，凶狠地窃笑：“这帮愚蠢的动物！以为我真的会不带走名画就逃跑了？”

贼仔悄悄地走到窗户跟前，往外边看了一眼。动物们正拼命寻找他。

“我怎么从这里逃出去呢？”贼仔嘟囔着。这时他突然看见了真尼，这个凶恶的坏蛋脑子里顿时想出一个阴险的新招数。

足智多谋：富有智慧，善于谋划。

贼仔藏匿和逃跑的八种方法

第十四章
事实全部揭晓，棕鸟，你的末日到了！

赋仔在哪里？
他藏匿何处？
飞了，还是溜了？

“贼仔怎么能这么快就跑掉了？我们到处都找遍了呀！”乌古哈很伤心，“现在我去哪里找我的首饰匣呀？哎，你要干什么？”

这时阿加西走到乌古哈面前，十分郑重地祝贺她的生日。

“今天已经祝贺过了！”乌古哈嘟囔了一句，挥手让他离开。“你最好说出贼仔在什么地方。唉，拿他怎么办呢？他如果再敢化装成皮包奇卡，我立刻炒他鱿鱼！”

猫侦探坐在长板凳上陷入深思。看来，当他们用贼仔捕捉器抓住皮包奇卡的时候，实际上抓住的就是贼仔。可是他为什么回家了呢？显然不是求助。贼仔是在偷了首饰匣后立刻跑去找他们的，这就是说当时首饰匣就在他的小包里，他是想把首饰匣藏在家里。可能是猫侦探和老鼠们在院子里与湿漉漉的母鸡纠缠的时候，他把首饰匣藏起来的。

“我好像知道首饰匣在什么地方了！”猫侦探喊起来。

老鼠们都向他跑去。乌古哈哼了一声表示怀疑，她才不相信呢。

突然房门打开了，贼仔从里面往外看。

“咳，咳！”他咳嗽着吸引大家的注意力。

“大家看呀！贼仔在那里！”史木茨小声说。

动物们向房屋跑去，但是贼仔抬起爪子发出警告：“都站在原地别动！真尼在我手里做人质！如果你们，老鼠们，哪怕有一只试图进来的话，我就撕烂你们那位椋鸟讨厌的嘴巴，他就永远也别想唱歌了！”

“太可怕了！”布拉卡“咕咚”一声摔倒，失去了知觉。

“啊，可怕吗？”贼仔高兴了，“半个小时之后如果小汽车还不到，我就动手了！”

“啊，不要，可别动我的车！”

乌古哈嘟囔着，同时也晕倒在布拉卡身旁。

“我们队伍的成员越来越少了，再这样下去，这只野兽会搅得全城鸡犬不宁。我绝不允许这样的事情发生！”猫侦探伸出利爪，贼仔却满意地揉揉爪子，躲进房子里。

球恰开始忙着抚慰布拉卡和乌古哈，让她们恢复知觉。

这时，真尼探出头提醒大家：“朋友们！别忘了音乐会在黎明时开场！哎呀！”

房子里传出了吵闹的声音，这是贼仔薅着真尼的尾巴往回拽他。房门“咣当”一声关上了。

“你为什么把门关上了？”真尼抱怨道，“我怎么了，难道不能和朋友们打个招呼吗？”

“你不明白！”贼仔一跺爪子，老鼠的本相暴露无遗，“我已经抓住你了，他们不把汽车送来，我就不会放你，我要躲到谁都不知道的地方去。”

“原来是这样……”真尼拖着长音慢慢说，“好吧，既然我们在玩这种荒诞的游戏，那我就再坐半个小时。这以后，对不起，我就不能奉陪了，我还有音乐会。”

贼仔抓着他的头说：“蠢货！我们不是在玩什么游戏！我是真的把你抓起来了！”

真尼向墙那边走了走，换了副嘴脸，以教训的口气说：“再骂人的话，我就用嘴敲你的头。你的家人如果知道你这种表现一定会不高兴的。”

贼仔没回答，只是在屋里来回跑了几趟，想以此让自己心情平静下来，最后他又向房门外探出身子。

“喂，你们，动物们！由于椋鸟的表现放肆无礼，我薅下了他那讨厌的尾巴！”贼仔大声喊叫，并在空中挥动着空拳头，好像正攥着真尼的尾巴似的。“你们或者是他再不小心行事的话，我就拔掉他翅膀上的羽毛！快点儿把汽车给我开过来！”

贼仔说完就又躲回房里去了。

动物们惊恐地彼此**面面相觑**。

真尼鼓起掌来。

“你这坏蛋的样子表演得真不错啊！”他称赞道。

这种话让贼仔忍无可忍。他勃然大怒，几次用脑袋撞墙，还试图撞天花板，可是没撞上。

“听到没有？”猫侦探听到屋里有“砰砰”的撞击声后问，“贼仔气疯了，他在打真尼，该采取行动了！”

“我不会原谅我自己！”布拉卡睁开了眼睛。

“要我说呀，就让他们互相残杀去吧。”乌古哈扯着嘶哑的嗓子，“只要我的首饰匣完好无损，回到我手里就好！”

“你怎么能这么说话呢？”布拉卡气愤地说。

面面相觑：你看我，我看你，不知道如何是好。

贼仔把身子探出窗外，剧烈地咳嗽起来。

“你们要是不退到离房子一千步以外的地方，我就不放过那个讨厌的椋鸟真尼！”

“你不放了优秀的椋鸟，我们就不离开房子！”布拉卡喊得嗓子都破音了。

“什么？那我现在就撕烂这个聒噪的家伙的那张破嘴！”贼仔“吱吱”大叫着躲到屋里去了，那嗓音震得阿加西两耳欲聋。

猫侦探眯着眼睛，挥着爪子召唤动物们。

“我想，”动物们集合后，猫侦探小声说，“我们不能再忍耐贼仔这种狂妄的行为了，我们要强攻。你，皮克，站到那株灌木丛旁边，我藏在窗户底下。只要贼仔从房门

伸出头往外看，你就向我挥动爪子，传递暗号。为了让贼仔能从房门伸出头往外看，你，乌古哈，要大声喊：‘贼仔，快出来，汽车来了！’”

“无论如何我也不能交出我的车！”乌古哈反对。

猫侦探开始敲打尾巴。

“不用你把车开出来，我向你一挥爪子，你只要这样喊一声，再发出两声‘嘀嘀’。明白了？”

“那你干什么呀？”史木茨问。

“等贼仔从门口探出身来，我就从窗户跳进去，救出真尼并抓捕贼仔。现在清楚了吗？”

动物们高兴地一齐点头，看起来这个方案很好。

跳跃
老鼠们在哪里?
嘀嘀——嗤嗤！
嘿嘿！
嗨哟！
砰——砰！

第十五章 攻打老鼠家

我们要创造发明，
抓住贼仔不放松。
把他装进大筐里，
扔在城外荒野中！

最后一缕阳光洒在大地上，动物们向老鼠家发起进攻。

猫侦探藏在窗户底下，其他参加者也都各就各位，一切即将开始。猫侦探挥动爪子，乌古哈开始叫喊，但是由于太激动，她有些**语无伦次**：“哎，贼仔！汽车开来了！”

“什么？”贼仔从窗户探出头。

“滴，滴——滴，嘟——嘟。”史木莰小声叫，同时看到皮克正在绝望地向猫侦探挥动着两只爪子。

皮克这个手势的意思是贼仔是从窗户里露头的，而不是像他们想象的那样，从房门里探出身子来。可是猫侦探理解的正好相反。他猛地跳起来，正好撞到了贼仔的下巴，疼得摔倒在草地上。贼仔也由于这突然一撞而跌出了窗外。

贼仔那干瘪弯曲的爪子一着地，就立即站起来往外狂奔。

语无伦次：话讲得乱七八糟，毫无次序。

“抓住他！”动物们都跑去追贼仔，险些被不知道从哪儿钻出来的乌龟莎娃绊倒。

“站住！我早晚要抓住你，强制你**改邪归正**！”猫侦探一边喊，一边再次从长板凳旁边跑过去。

球恰跑在最后，一着急撞在石头上，摔得四爪朝天，直挺挺的不动了。贼仔直接踩着她那美丽的小连衣裙飞驰而过。猫侦探和其他动物紧跟其后追赶。

球恰正要站起来，贼仔又从她身边快速跑过去，同时踹了她一脚。

实际上，动物们一直在绕着房子转圈跑呢。

“都站住！站住！”球恰喊，可是正在穷追猛赶的动物们谁也没听见。

贼仔意识到大家都在转圈跑，于是从角落转过来爬到了房顶上。

动物们也明白了自己的错误，都停下来聚到门旁。

“他能躲在哪里呢？”布拉卡困惑不解。

“钻到地缝里去了！”皮克附和她。

“贼仔是个诡计多端的家伙！”这是皮克最爱说的一句话。

猫侦探微微一笑，用爪子往上面指了指。老鼠们都抬起头仰望。天空中明月高悬，炫目的亮光使你根本看不清

改邪归正：从邪路上回到正路上来，不再做坏事。

月亮上的城市，更看不清那里的天才们。

“贼仔飞到月亮上去了？”布布沙惊奇地问，“我知道叔叔非常狡猾，但也不至于达到这种水平吧？”

猫侦探笑得更厉害了，又向上指了指房顶。

“这个无赖，我们还以为他不会飞呢！”

这时，贼仔难以抑制喜悦的心情，非常高兴自己能够近距离地俯视那帮追捕他的动物。

“哈哈！傻瓜们！我根本就没飞上云端，也没去月亮上住！喂，猫咪，怎么样？看起来你不是一个天才，有的老鼠都比你聪明！”

“快看！贼仔从月亮上掉下来了，可能被烧化了吧！”皮克琢磨着。

“**拭目以待**吧！”猫侦探喊叫着，冲向房顶。

“别过来！”贼仔发出刺耳的尖叫，“别过来！”

“哎呀！他们会掉下来呀，猫侦探会摔断爪子啊！”布拉卡闭上了眼睛。

拭目以待： 形容期望很迫切。也表示确信某件事情一定会出现。

“别担心，如果跌落到你身上，他就不会摔断爪子。”皮克鼓励布拉卡。

“对，”球恰肯定道，“那样他就会砸断布拉卡的脖子，自己真的不会受到任何损伤。”

布拉卡跳到旁边去了。

贼仔龇着牙骂骂咧咧。

“把钥匙交出来！”猫侦探喊。

“不交！不交！不交！”

猫侦探比贼仔更强壮一些，一下就把他举起来，摇晃他，想把钥匙抖落出来。

“打他！”真尼用洪亮的声音朝房顶喊。然后转过身，拍打着翅膀，对阿加西建议：“走，我们也去打一架？”

“撞你一下试试！”阿加西竖起了刺。

真尼急忙躲开：“小刺猬，没有谁对你说过吗？你的刺超尖，而你的嘴巴超软。”

这时候，猫侦探从坏蛋的爪子里拽出了钥匙。

“现在我们就从房顶上下去，去上教育课！别耍花招！”猫侦探抓着贼仔的后脖颈子说。

贼仔不想走，一直挥着爪子，嘴里还嘟囔着，两眼闪着怒火。

动物们一起回到屋里，真尼又睡着了，不过这次是舒服地躺在沙发上睡的。猫侦探把钥匙还给了乌古哈，她又挂到了脖子上。

别上锁关禁闭，
改正需要日期！
给我吃饱喝足，
别赶门外住去！
做坏事，似做梦，
自己倒霉又要命，
放了我，别杀生，
我踮脚悄悄走行不行！
嘿！
嘿！
啊哈！
我要正经地生活，
珍视友谊朋友多，
别杀我，放了我，
和苍蝇交友都快活！
我本善良，不是笑谈，
学习数学重任在肩。
我保证，我不后悔，
夹起尾巴在大家面前！

第十六章
贼仔的故事

我是好的，猫是坏的！
猫是骗子，我是英雄！
画这样的破玩意儿，
我用一只脚就能完成！

贼仔被安排坐在灯下面的凳子上，大家把他团团围住，以免他再次逃脱。为了以防万一，阿加西还死死地抓着他的尾巴。

“喂，贼仔，我们又见面了！”猫侦探说，“不过只能是在这种场合，因为我是天才猫侦探达芬奇，到目前为止，还没有我破不了的犯罪案件。”

“他是天才！”乌古哈确认，“我没有这样评价过其他朋友。”

贼仔龇着长短不齐的小牙，憎恶地发出不满的哼哼声。

“哈，你们是不是认为这只猫是从月亮上掉下来的，所以他就是个天才？你们相信吗？”

“相信！”老鼠们齐声叫喊。

“他欺骗了你们！他只不过是一只最普通的猫，非常喜欢猎捕老鼠而已。”

如果猫不吃老鼠，
那就掐着脖子把他赶走！
不是天才，恰恰相反，
只是一只猫！
一只公猫！！！
红褐色猫
从月亮上掉下来，
智商遭到严重损坏！
你白天强调，
夜里重复：
他好，他单纯。
可是不吃老鼠的猫脑袋瓜子就有问题！

贼仔用力把尾巴从阿加西的爪子里挣脱出来。阿加西完全忘记了为什么要抓住贼仔的尾巴，所以他又抓住了布拉卡的尾巴。

“如果对你来说，天才猫很普通，那我同意。”猫侦探点着头，“然而，抓捕你的不只是我自己，还有在座的各位！”

“我们的猫侦探是世界上最诚实的猫！”布布沙喊道。

“是吗？那你们说我尾巴上的结儿是谁给我打上的？”

“谁？”猫侦探问。

“是你呗！”贼仔大声号叫，乌古哈吓得急忙闪到一边，还差点儿碰掉墙上老鼠奶奶的画像。

“别碰奶奶！”老鼠们又一齐扯着嗓子喊叫。

“你们心爱的猫侦探实际上完全不是他自己包装的那样！”贼仔还没平静下来。

“他是你的奶奶吗？”乌古哈突然冒出这样一个问题。

“他是猫！但不是你们想的那种天才猫。他就是脑袋被人家狠狠地揍了，现在什么事对他都是幻觉。我去了趟博物馆，这个野蛮的家伙就认为我想盗画，所以就寸步不离地跟着我。他喊‘别动画！这是动物们的珍宝！’然后就开始追赶我！把整个博物馆闹得天翻地覆。他在我尾巴上打了个结儿，还把我的胡子薅掉了！可是我也不是个无能的废物。在残酷的追捕过程中，我咬伤了他的耳朵，他疼得要死要活，不停地在大厅里来回跑，这时一幅画掉落到他身上，于是他的记忆力就更糟糕了。可能是由于被砸的缘故，他的脑袋肿得老大，里面的大脑也膨胀了，所以他狂妄地称自己是天才。还说什么是从月亮上降落下来的，这是他胡编乱造的。你们只要看一看就清楚了，他头顶上有一块被画砸下的红色斑块儿。”

“没有，我这里什么颜色都没有！”猫侦探挥动一只爪子，“还有，你自己说过胡子是你自己薅掉的，现在怎么又说是我薅掉的？”

老鼠们互相交换着眼色。太明显了，贼仔完全是在撒谎。

“他胡说八道！”布拉卡反应过来了。

“不要再冤枉我们的好侦探了！他是这样的诚实，这样的完美！他是朋友！你不明白吗？”

“不是！”贼仔刺耳尖叫，“我没有朋友！我的朋友就是我自己！请你们放了我吧！我把偷的东西都还给你们。怀表和项链我已经交出去了，就剩首饰匣了。首饰匣我藏到橱柜底下了，请拿回去，但是要把这只猫从我身边赶走！”

乌古哈冲向橱柜，从底下取出了完好无损的首饰匣。

“画在哪里？”大家一起喊。

“咳！”贼仔感叹道，“这是我毫无意义的生活中一场无法挽回的悲剧！”

“给我们详细讲讲是怎么回事！”猫侦探要求。

“画被烧毁了。”贼仔用鼻子大声抽气，和他假扮皮包奇卡时的动作一模一样。

“烧毁了？”老鼠们很惊讶，“伟大的作品《蟒蛇的微笑》消失在火海里了？”

贼仔痛苦地把爪子背到身后：“是的！拿到画以后，我把它带到城外森林里了。我坐在那里欣赏它，怎么看也看不够。我是艺术爱好者，尤其喜欢画作。突然，天空乌云密布，树木摇晃着沙沙作响，可怕的暴风雨来了！我想把画藏好，可是巨大的闪电直接击中《蟒蛇的微笑》，画就在我的爪子中烧成了灰！太可怕了！我也非常痛苦，没

看见吗，我的鼻子到现在还是红的！”

苦大哈抓着头在屋里来回跑，发出让人烦躁的“咕咕”声。几秒钟后一份新报纸出版了。

“不可能！”听完这个可怕的故事后，老鼠们尖叫，“可怜的叔叔！”

“我现在明白你为什么化装成女佣了。”乌古哈小声说，怀里还紧紧地抱着贵重的首饰匣，“闪电，暴风雨，爪子中的画正在燃烧，经历了这样的高度紧张，难怪你的行为举止不正常了。”

母鸡真理报

快讯

天才的画作《蟒蛇的微笑》没能经受住闪电袭击。现在，再也没有人可以回答蟒蛇为什么微笑了。有可能是谁在他的尾巴上挠痒，或者他知道某个秘密。现在这只能是个谜了。但是有一点是清楚的：在电闪雷鸣的暴风雨中不要带着画在森林里走动，要带着我们的报纸！

母鸡不是傻瓜！母鸡是记者！

贼仔不住地点头。

“你们知道了吧！我自己都不认识自己了。但是现在我认识到了，我的所作所为很不好，我要改正，再也不胡作非为了。顺便说一句，我热爱家庭。放我走吧！我会像真正的老鼠那样悄无声息地离开，我只带走老鼠们的照片和我家人的画像作为纪念，你们以后再也不会听到我的任何消息了。”

贼仔站到椅子上，取下画像，还亲吻了一下。

“那，我就走了？”他问道，笑得嘴角都咧到耳朵上了。

猫侦探跳到贼仔跟前，一把抓住画像。

“等等，贼仔，你那悲惨的故事中有一个小疏漏！从你偷走画的那一刻起，就没刮过风，也没下过雨，连薄雾都没有过！”

“有过！”贼仔惊慌失措地尖叫，把画拽回去了。

“没有过！”

“有过！有过！有过！”

“没有过！”猫侦探咆哮着，同时用很大的力气抢夺画像，以至于把贼仔拽了个倒栽葱，从椅子上摔下来，画像掉到地上，画框摔成两半。这时大家都看见在画像的背面还藏着一幅画——就是那幅丢失的名画《蟒蛇的微笑》。

母鸡真理报

快讯

猫侦探达芬奇破获了动物城最错综复杂的犯罪案件：第一号案件——名画《蟒蛇的微笑》盗窃案。猫侦探的未来计划是要破 1 000 宗案件。

请读我们的报纸！

永远漫步在你们街道上的

母鸡苦大哈

第十七章 一切秘密都藏在首饰匣里

猫侦探达芬奇把画挂到墙上，画的富丽堂皇使大家惊叹不已。蟒蛇愉快地微笑着，似乎还想眨眨眼。最使人惊讶的是画面上的几样东西都是在座的每位非常熟悉的：乌古哈的首饰匣，布拉卡的项链和史木茨的怀表。首饰匣位于画的最下部，项链挂在蟒蛇绿色的脖子上，怀表则是接在项链上。

做到让超级天才侦探满意

沿画好的虚线把图剪下

叠起来

沿虚线剪

给自己做一个像样的纸奖章

写上自己的名字

沿画好的虚线把图剪下

猫侦探达芬奇侦探社

姓名

职务

个人注册号码

签名

沿画好的虚线把图剪下

“这是什么意思？”乌古哈第一个开口，“为什么上面画了我的首饰匣？”

“还有我的怀表？！”史木茨喊。

“还有我的项链？！”布拉卡补充。

贼仔疼得直抽搐，坐在角落里大哭，谁也没理他。

“我觉得，画的秘密就隐藏在这些物件里。”猫侦探一边看着这些物件，一边说。

“不可能！”乌古哈喊。

“乌古哈，你能不能给我们看看首饰匣里装的都是什么？”猫侦探请求她，“我有点儿不相信你一次都没看过。”

“当然，我看过！”乌古哈激动地回答，“那里放着我曾祖母的东西，我不想展示出来给大家**品头论足**，既然你请求了，那我就打开。”

品头论足：指无聊的人随意议论妇女的容貌体态，现亦比喻在小节上一味挑剔。

乌古哈把首饰匣放到桌子上，把钥匙插在锁孔里转了三次，柔和的音乐响了起来，匣子盖慢慢地抬起来。匣子里面放着古老的钱币、珍珠、胸针、戒指，还有一些镶金鸟嘴和烟斗。

“我曾祖母抽烟，”乌古哈很尴尬地说，“这对我们家族来说是最可怕的耻辱。”

“呸！呸！呸！”阿加西皱着眉。

老鼠们哈哈大笑。

“所有这些东西都是我曾祖母的，这里没有任何秘密。”乌古哈说。

猫侦探拿起放大镜开始认真仔细地观察这幅画，看看能不能找出什么机关。史木茨掏出自己的怀表和画上的进行比较，结果是惊人地相似。

“你们看，画上的怀表和项链是固定在一起的，是不是这里就有秘密呀？”猫侦探回头看看动物们，做了个假设，“布拉卡，你能不能帮一下忙，把你的项链给我看看？你，史木茨，把怀表拿来。”

“请看！”布拉卡心甘情愿地摘下了项链。

猫侦探摆弄着项链，然后像画中那样，把项链和怀表连在一起，最后，猫侦探发现项链上有一粒珠子，它的形状恰好能嵌进怀表盖里。猫侦探使劲按压珠子，听到有什么东西噼啪作响，然后从怀表里伸出一根细针，针头上带一个奇怪的弯钩。

贼仔坐在角落里凶猛吼叫，并且开始薅头上的毛。

“你这是干什么？”史木茨激动地对猫侦探大喊，“你把我的怀表弄坏了？”

“我认为没弄坏。”猫侦探安慰他说，又走到桌子旁拿起首饰匣。

动物们都不敢动，怕分散猫侦探的注意力。猫侦探把所有的东西都从首饰匣里拿出来，把首饰匣放在爪子里转来转去。

“你看什么呀？”乌古哈挺感兴趣。

作为回答，猫侦探把首饰匣放到桌子上，把针插入首饰匣侧面的一个极小的孔里。

屋里一片寂静，只见首饰匣的四壁向后张开，匣子的第二层暗盒打开了。里面有叠成四折的一张纸，由于年代久远已经泛黄，四边严重卷曲。

猫侦探屏住呼吸，把这张纸拿出来，小心翼翼地展开。

“那是什么东西？”皮克小声问，同时挤到前面极力想看上面写的内容。

“我觉得，”猫侦探说，由于激动说话有点磕巴，“这是藏宝图！朋友们，我们找到了《蟒蛇的微笑》这幅画的秘密！秘密就在这里，在我的爪子里！现在，等我们找到宝藏，可就要发大财了！”

“太棒了！”全体动物欢呼，拥抱和互相握爪。

谁也没有发现，贼仔把手伸进苦大哈的包里，拿出照相机，把藏宝图拍了照，又把相机挂在脖子上，悄悄地溜到门前，然后就爬到外边去了。

明月当空，史木茨的怀表“滴答滴答”地叫了半宿。莎娃在栅栏下面缩进自己的龟壳里睡着了，还不时地打鼾。

贼仔爬上了屋顶。在和猫侦探打斗时他看见烟筒后面有一对自制的翅膀，这可能是猫侦探的发明之一，也可能猫侦探昨天夜里就是用这对翅膀从月亮上飞下来的。贼仔拿起翅膀，迅速挂在自己的爪子上，然后大喊：“我会第一个找到宝藏！傻帽儿动物们，我知道的事你们连猜都猜不着！”

老鼠们家里灯火通明，光亮映在窗帘上，动物们在大声辩论，讨论着藏宝图上的内容，而贼仔已经从房顶上飞走了。他那微小的身影在明亮的月光下一闪，随即消失不见了。

“我会回来的！”他尖叫着掠过城市上空，像疾风在呼啸。

贼仔的诡诈歌！

不知道上，不知道下，
众兽头顶上我蒸发。
白天普通老鼠是贼仔，
夜里长翅任腾达！

老鼠半夜到处飞!

我的力量无穷大，
随心所欲乐无涯。
吃掉白天的太阳，
晚上再把星星吞下。

世界由我来统治，
你们若不臣服我，
就把月亮捅出窟窿眼儿，
就像奶酪上的蜂窝，一个又一个!

母鸡真理报

大新闻！老鼠半夜满天飞！

为什么老鼠只逢月圆时飞？他们是从何处来，又要往何处去？“这些老鼠好像是月亮上的居民，他们在月圆时来动物城旅游。”鼠族名流黄鼠史木茨对本报记者如是说。顺便请知悉，史木茨的吊带是最佳产品。椋鸟真尼写了一首网络流行歌曲：《房顶上飞来飞去的老鼠》。

从前老鼠只爬行，
如今却能飞上空。
穿过乌云飞九霄，
振翅高翔任我冲！
天气恶劣不宜飞，
闪电乌云我也追。
我最强，我最棒，
如果你不信，
当心被咬伤！

第十八章
动物城音乐会

清晨，动物城的所有居民都聚集在广场上。博物馆的废墟旁新搭建了一个不太大的舞台，黄雀和海雀合唱团正站在那里**引吭高歌**。

真尼在雷鸣般的掌声中飞上舞台。他向观众们行礼鞠躬，然后举起一只翅膀一直等到掌声停止。

“大家好，亲爱的动物们！”真尼激动地高声说，那张嘴十分引人注目。“在我们的动物音乐会开始之前，我给诸位介绍一位大天才——魅力无穷的猫侦探达芬奇！是他找

引吭高歌：吭，嗓子，喉咙。指放开嗓子大声歌唱。

到了珍贵的名画，并且已经**完璧归赵**，还给了本城！”

“欢迎欢迎！”全体高喊。

猫侦探轻快地跳上舞台。

“朋友们！我要送给大家一份大礼，是月球居民赠送给地球居民的礼物！我找到了那幅名画，并且还给了动物城。现在，想欣赏这幅名画的居民都能在布谷鸟博物馆一饱眼福。”

“可是布谷鸟博物馆已经毁坏了呀！”有观众喊道。

“这可以补救。我们亲爱的真尼已经决定把这场音乐会作为义演，所有的收入都捐给博物馆，用于修复和建设。现在，建筑材料已经开始往这里运

完璧归赵：比喻把物品完好地归还给物品的主人。

送了，我们大家，动物城的忠诚居民们，将重建博物馆！大家可以到乌古哈那里取安全帽和抹灰刀。”

“好的！”大家异口同声，然后马上开始干活。

铁锤“叮当”响，锯子和钻机“嗡嗡”叫。动物们传递着砖头和涂料桶。

这是动物城里最愉快的一天。没过几个小时，广场上已经矗立起一座新的博物馆，著名画作《蟒蛇的微笑》已经悬挂在主厅里，居民们无不欢欣鼓舞。

只有乌古哈无所事事，她在广场上闲逛，摆动着翅膀，嘴里还念念有词。她终于停下来了，接着刺耳地尖叫一声：“朋友们！我决定用自己的名字开一家出版社！”

“瞧你说的什么呀！”阿加西拿着涂料桶从一旁走过去，不高兴地哼了一声。

乌古哈挥动一只翅膀叫他走开。

“我的第一本畅销书就是‘猫侦探’系列丛书中的《破解名画之谜》！”

音乐会结束后，猫侦探和他的几位忠实朋友——球恰、皮克和布布沙就回家了，他们想再看一下藏宝图，并且为寻宝做一些准备。

一朵朵白云轻轻飘浮在动物城的上空，早晨的阳光洒满大地。更加惊险的事件正在前面等待着我们这些朋友们，这些惊奇的故事您都将在“猫侦探”系列丛书中看到。

母鸡真理报

最新快讯

超级猫侦探生活中的一天！

超级猫侦探现身我们动物城，仅仅一天的工夫就彻头彻尾地改变了城里居民的平静生活。现在已经很难想象猫侦探没出现的昨天我们是怎么生活的，也不知道没有猫侦探后，我们明天的生活将是什么样。所有这一切都将在“猫侦探”系列丛书中展现。请大家都来阅读此丛书！

快如飞鸟的母鸡苦大哈

真诚的招聘声明

经验丰富的出版商招聘品行端正的女佣。有意者请单独私下联系。

猫头鹰老奶奶的照片

→ 每个筐里放一个蛋

宇宙小知识

猫侦探达芬奇是从月球来到地球的超级天才，月球在地球的什么位置呢？地球又处于宇宙的什么位置呢？我们一起来学习一下宇宙知识吧！

宇宙无极，星空无限，从庞大的太阳系到广袤的银河系，再到浩瀚的宇宙，它们变幻莫测，充满着神秘的魅力。太阳系是以太阳为中心的天体系统，包括太阳、8颗行星、无数卫星及其他小天体。太阳是银河系中的一颗恒星。行星自身不发光，环绕恒星运转，反射恒星的光。卫星是围绕行星做周期性运转的天体。地球是太阳系的一颗行星，而月球是地球的卫星。

宇宙中不仅有恒星、行星、卫星，还有暗物质、暗能量等。宇宙中还有许多秘密等待人类去探索、发现。